W9-BUO-980

LA VIE, PASSIONNÉMENT

DU MÊME AUTEUR

Pour l'honneur de Paris,
Calmann-Lévy, 1999

BERTRAND DELANOË

LA VIE, PASSIONNÉMENT

ROBERT LAFFONT

Une version audio de ce livre est disponible
aux éditions Livraphone.

Le fichier de cet ouvrage est disponible en braille sur le serveur
Hélène pour le rendre accessible aux déficients visuels.

www.serveur-helene.org

ISBN 2-221-10010-7

Dire la vérité est la façon
de se tromper la mieux acceptée.

Jean-Michel Ribes

À Joëlle et Étienne

Remerciements

Merci à Ursula Gauthier qui a consacré beaucoup de temps, d'intelligence et de finesse à me faire exprimer et mettre en forme ce que j'incline à retenir.

À Laurent Fary qui une nouvelle fois, comme depuis quatorze ans, m'aide à comprendre, à chercher, à formuler mes convictions.

1

Rêves de villes

J'ai toujours rêvé de Paris. Sans y avoir jamais mis les pieds, je savais confusément qu'un jour j'irais y vivre. Gamin à Bizerte, en Tunisie, j'écoutais avec fascination ma mère raconter le jardin du Luxembourg, les Grands Boulevards, Montmartre et Saint-Sulpice... Héritier de son amour pour Paris, mais très attaché à ma ville méditerranéenne, je me disais, avec ce sens du rêve qui n'appartient qu'à l'enfance : « Comme ce serait bien de vivre à Paris et à Bizerte ! »

À quatorze ans, j'ai quitté la Tunisie avec ma famille. Nous nous sommes installés à Rodez. Quatre ans plus tard, je visitais enfin Paris pour la première fois. Rencontre intense, mêlant l'inattendu au familier, l'intuition à la réalité. Elle m'a laissé la conviction que ma vie ne pouvait s'écrire sans cette ville. La cité idéale née dans l'imagination d'un enfant, capitale de la beauté et de la liberté, tenait ses promesses. Le Paris véritable que je découvrais comblait mon désir, m'offrant à la fois la légèreté de l'anonymat et la chaleur de la compagnie, la solitude au sein de la foule et l'excitation des découvertes, de l'échange.

Paris ne m'a jamais déçu. Dès la première minute de mon installation, en 1974, je me suis senti chez moi dans cette ville dont l'histoire mêle une foule d'histoires. Me sachant fait de contrastes – et n'ayant aucune envie d'y renoncer –, je suis entré d'instinct en résonance avec son cosmopolitisme. Malgré l'attachement que j'éprouvais pour Bizerte ou Rodez, je m'y sentais toujours en quelque chose différent. Accepté certes, intégré, aimé par ma famille, mes amis –, mais différent. Je n'ai pas ressenti cela à Paris. Ce qui, ailleurs, apparaît comme une contradiction insurmontable, fait ici partie d'un ensemble vivant. Chacun peut se sentir bien dans une église parisienne, une mosquée, une synagogue – ou au Grand Orient. La présence de tous ces lieux semble naturelle, tant elle est inscrite dans la trame de l'Histoire.

Et puis il y a la beauté de Paris. Depuis mon élection à la mairie, je suis un piéton frustré. J'aime tellement marcher dans ses rues que j'ai toujours choisi mes lieux d'habitation successifs pour les balades de trois ou quatre heures qu'ils offrent aux alentours. En trente ans, j'ai déménagé une dizaine de fois. Ces pérégrinations ont toujours été guidées par le plaisir d'habiter dans tel voisinage, d'y côtoyer le marchand de journaux, le boulanger, les commerçants. Partout où je suis passé, j'avais *mon* bistrot où j'aimais aller boire le café du matin. Ah, l'ambiance des bistrots le matin à Paris ! Et spécialement à la Divette du Moulin, en haut de la rue Lepic, où se croisaient aux petites heures les peintres en bâtiment arrivant sur les chantiers et les fêtards qui terminaient leurs virées nocturnes...

À Paris, j'ai trouvé aussi une notion de plaisir qui n'a rien de superficiel à mes yeux. Cette ville est chaude et vibrante, et pas seulement à travers sa beauté architecturale. Quelque chose de culturel, de sensuel, de délié flotte dans l'air. Un mélange singulier qui ne se ressent qu'ici. Se promener au bord de la Seine, le jour, la nuit, « respirer » cette atmosphère si particulière, savourer cette luminosité qui, certains matins, teinte de rose le soleil derrière Notre-Dame – l'émotion parcourt cette ville.

Comme tous les citadins qui ont besoin de changer de rythme, j'apprécie de retrouver une nature plus sauvage. Mais je suis définitivement un homme de la ville. Depuis l'âge de dix-huit ans, j'ai découvert de nombreuses cités : New York, Quito ou Le Cap, elles m'ont toutes apporté un sentiment de plénitude. J'aime les cités historiques que le tourisme n'a pas abîmées. Meknès, la plus authentique, sinon la plus visitée des villes impériales du Maroc, me touche plus que Marrakech, un peu trop touristique à mon goût. Les villes qui changent me séduisent aussi, même quand elles cachent leur jeu. Amman, par exemple, très étendue et d'une architecture quelque peu uniforme, ne suscite pas à première vue d'émotion particulière. Mais, la nuit, elle se transfigure. Comme elle est vallonnée, ses lumières étagées sur différents niveaux remplissent l'horizon de tous côtés. Je l'ai découverte récemment, à l'époque du ramadan. Dans les rues illuminées pleines d'une foule joyeuse, l'ambiance était fabuleuse.

Dans toutes les villes, la vie est intense, aventureuse, pimentée. J'ai découvert New York à l'âge de vingt-sept ans. En cette fin des années 1970, c'était la cité la plus survoltée du monde. J'étais allé rejoindre une amie, Anne, installée aux États-Unis. Nous logions dans un petit hôtel, près de Central Park. Dès notre arrivée, nous sommes évidemment allés passer la soirée à Greenwich Village. Vers deux heures du matin, j'ai eu envie de rentrer – à pied. Anne m'a traité de fou, elle a invoqué les junkies, les dealers, les voyous, les déséquilibrés... En ce mois d'août 1977, New York était en effet une ville à la dérive, au bord de la faillite et de l'émeute, quand une panne géante de courant avait déclenché une vague de vandalisme et de pillage sans précédent.

Par chance, nous sommes rentrés tranquillement, sans faire de mauvaise rencontre. Dans le contexte de l'époque, il aurait sans doute été plus sage d'écouter mon amie, et de traverser en taxi ces quartiers troublés. Mais j'ai toujours tendance à refuser les contraintes tatillonnes posées par l'excès de circonspection ou le manque d'imagination. Plutôt commettre une erreur que s'interdire la beauté, le plaisir, l'échange, l'amour, une connaissance, une vérité.

Avec ses risques et ses aubaines, la vie urbaine est pour moi une image magnifiée de la vie tout court. Comme les grandes cités qui nous proposent une infinité de voies à explorer, nous sommes multiformes. Notre destin ne peut être monolithique, et l'existence nous offre des choix multiples qui peuvent tous se révéler féconds. Tout dépend de notre intuition au moment de la décision, puis de la détermination avec laquelle nous la mettons en œuvre.

Les périodes incertaines que chacun affronte sont autant d'opportunités d'échapper au conformisme. Mon éloignement de la scène politique pendant dix ans résulte de la conviction qu'il existe une autre vie ailleurs, aussi belle, nourrissante et satisfaisante. En 1985, alors que j'étais député du XVIIIe arrondissement et dirigeant national du Parti socialiste, j'ai décidé, après bien des hésitations, et avec le sentiment inconfortable de me « jeter dans le vide », de replonger dans le monde de l'entreprise dont je n'avais eu qu'une brève expérience, à l'âge de vingt-quatre ans. À ce tournant de ma vie, je me suis dit : « Tu as trente-cinq ans, si tu ne reviens pas au privé maintenant, tu ne le feras jamais. Ce projet comporte des dangers, mais tente-le, pendant que tu en as l'envie et la force. »

Il ne s'agissait pas d'un coup de tête. Ma décision découlait d'un revers que j'avais subi et qui m'avait fait réfléchir. J'avais en effet caressé l'idée de me présenter dans le Vaucluse dans la perspective des élections législatives de 1986. Mais, il faut bien l'avouer, le « parachute » s'est mis en torche. Mauvaise analyse de la situation locale, surestimation de mes capacités à surmonter les réticences des élus du département : mon échec a été retentissant. Cette mésaventure avignonnaise m'a servi de leçon. Le temps de l'autonomie était venu, y compris par rapport à ma propre ambition politique. Ce besoin de liberté est vital chez moi. Quinze ans plus tard, quand, avec tant d'amis, nous sommes partis à la conquête de Paris, j'ai mesuré ce que cette échappée hors de la logique d'un parcours politique classique m'avait apporté en termes de maturité, d'humilité, de force de conviction et d'épanouissement personnel. Sans cette « embardée », sans doute ne serais-je jamais devenu maire de Paris...

Dans la vie publique aussi, la sagesse et la prudence ne sont pas incompatibles avec la volonté d'entreprendre, de se frayer de nouvelles voies, bref, d'assumer une part de risque. Sommes-nous condamnés aux logiques purement gestionnaires ? La problématique des responsables est compréhensible : nous sommes tellement contraints par nos obligations – la gestion du quotidien, les urgences, les exigences des citoyens, les fonctions de représentation, etc. – que nous cherchons naturellement à optimiser le temps et l'effort. Tout concourt à éviter de nous laisser bousculer. Et, pourtant, comment rester créatif si on ferme la porte à la perturbation ? Ce dilemme explique peut-être en partie que tant de dirigeants, plutôt inventifs quand ils sont dans l'opposition, aient tendance à se « ranger » aussitôt qu'ils prennent les commandes.

C'est une de mes inquiétudes depuis que je suis maire de Paris. Il ne suffit pas d'appliquer de notre mieux le projet que nous avons élaboré et pour lequel nous avons été élu : il faut le régénérer. La vie ne s'est pas arrêtée en mars 2001, le jour de notre victoire. Nous devons chercher à capter les nouvelles aspirations, en acceptant, pour cela, de nous mettre en difficulté. L'insatisfaction est un ressort psychologique qui m'incite souvent à explorer de nouvelles issues. L'administration, même performante, l'intendance, même avisée, ne peuvent suffire. Sans passion, et même sans une dose d'utopie, où trouver la volonté de faire bouger les choses ? Mais il me semble tout aussi nécessaire de savoir transiger pour obtenir des résultats concrets.

Cette tension entre l'exigence des convictions et les nécessités de la gestion m'a toujours préoccupé. Aujourd'hui, j'ai la chance de chercher à la surmonter dans les problématiques passionnantes de la vie parisienne. Nous tentons de toutes les manières possibles de concevoir, au ras du quotidien, une sorte de realpolitik qui ne mette pas entre parenthèses les demandes trop irréalistes, qui s'inspire au contraire de cette part imaginative pour donner du ressort à la gestion. La frustration est parfois au rendez-vous, c'est un fait. Mais quelle satisfaction quand un projet voit le jour !

Ainsi, nous avons légalisé le squat de la rue de Rivoli. Ces jeunes artistes, avec leur occupation un peu chimérique et tout à fait illégale de cet immeuble, changeaient l'identité du quartier. La Ville l'a donc acheté pour qu'ils y travaillent dans le respect du droit. Ce qui était à l'origine une entreprise un peu folle nous a conduits à trouver une solution efficace pour tout le monde. La réaction première des opérateurs chargés de mener ce projet est révélatrice d'une mentalité malheureusement assez courante chez les gestionnaires. Une fois l'acquisition réglée, ils m'ont déclaré : « Maintenant, nous allons pouvoir installer les artistes ailleurs et réhabiliter l'immeuble. » J'ai bondi : « Si nous avons acheté cet immeuble, c'est parce que la présence de ces créateurs change tout rue de Rivoli. Les dizaines de milliers de visites qu'ils reçoivent donnent un nouveau sens à ce quartier qui n'est que voitures, banques et magasins d'articles de sport ! »

Combien de fois ai-je entendu cette phrase : « D'accord, les gens le demandent, mais, Bertrand, tu sais bien qu'on ne peut pas le faire ! » Il faut pourtant chercher à enrichir notre gestion en intégrant les demandes des citoyens, même pour un résultat limité. Par exemple, ce projet si « bucolique » dont m'avaient parlé les parents et les enseignants de l'école maternelle Gustave-Rouanet, porte de Clignancourt, lors de leur pique-nique annuel. Ils voulaient créer un jardin pédagogique pour les enfants de cette école et des centres de loisirs sur une portion de la petite ceinture. Or ce terrain appartient à la SNCF, qui le conserve dans l'éventualité d'un futur projet de voie ferrée. S'il était hors de question de l'acquérir, il n'était pas exclu d'en obtenir l'usage pour une période de sept ans. Il a fallu surmonter de nombreux obstacles administratifs et revenir à la charge à de multiples reprises. Cet espace est accessible depuis l'été dernier. Arraché au domaine de l'impossible, un petit bout de rêve s'est matérialisé, modestement, dans la vie réelle...

Une image ne me quittera jamais : celle de cette foule compacte et joyeuse, massée devant l'Hôtel de Ville au soir du 18 mars 2001. Spontanément, chacun brandissait son trousseau de clés, comme pour mieux exprimer le désir de déverrouiller cette ville, de rendre accessibles des lieux – ou des envies – qui restaient hors d'atteinte. C'est bien à cela que nous travaillons : trouver les bonnes clés, et dégripper les serrures.

« Bertrand, ne vous résignez jamais », m'a dit Danielle Mitterrand quand elle est venue me voir le 9 mai 2001. À l'occasion du vingtième anniversaire de l'élection de François Mitterrand, je l'avais invitée dans cet Hôtel de Ville où je venais d'arriver, et où elle n'avait jamais mis les pieds. Nous étions émus de nous retrouver dans le souvenir de la victoire de 1981. Venant de cette grande rebelle qui continue à militer avec ardeur pour les causes qui lui tiennent à cœur, c'était un encouragement et une confirmation. Je ne me résigne pas, ce n'est ni dans mon tempérament ni dans ma philosophie.

2

Des barbelés sur la plage

À Bizerte, dans la Tunisie de mon enfance, nous allions au « Sport nautique », une plage privée où les Arabes n'étaient pas admis. Des fils de fer barbelés la séparaient d'une autre plage, dite précisément « des Arabes ». Si un petit Tunisien avait l'audace de contourner l'obstacle à la nage et de poser le pied sur *notre* plage, il était expulsé sans ménagement. Pourquoi ? Aux yeux de l'enfant que j'étais, c'était incompréhensible. J'aimais tellement la mer qu'une journée à la plage, c'était un moment de pur bonheur. Mais ma joie était troublée, confusément, par la laideur et la violence de cette vision. Comme si une cicatrice de mépris balafrait l'univers des enfants qui jouent.

Déclarée en mars 1956, l'indépendance a mis fin aux discriminations. Cette plage restait privée, mais la nationalité n'était plus un obstacle. Elle s'est ouverte aux familles arabes. J'avais six ans, je me sentais soulagé par ce changement ; je respirais mieux dans un monde sans barbelés. Ce sentiment confus – j'en ai pris conscience plus tard – m'a façonné. C'est sur la plage de Bizerte qu'est née cette sensibilité particulière dont, plus tard, a découlé mon engagement en faveur des droits de l'homme.

À peine cinq ans plus tard, des circonstances historiques allaient provoquer une deuxième prise de conscience, bien plus douloureuse. Ce qui était de l'ordre de l'intuition enfantine allait se transformer en conviction. En attendant, rien dans ma formation ne contrariait mon refus spontané des ségrégations. Je n'ai pas eu, contrairement à tant d'adolescents, à opérer une révision déchirante des valeurs léguées par mes parents. L'éducation que j'ai reçue d'eux ne contenait aucune théorisation des différences. Mes parents étaient conservateurs. Pourtant, ils n'ont jamais versé dans le mépris de l'indigène qui caractérisait parfois les Européens vivant dans les colonies. Ils n'établissaient pas de distinction entre un médecin français et un médecin arabe. À leurs yeux, la qualité personnelle et professionnelle ne tenait pas à l'origine ethnique. Ils nous ont transmis des principes. Si je m'étais adressé à Khikha, la femme de ménage, avec moins de respect qu'aux amis de mes parents, j'aurais eu droit à une bonne claque. Khikha, qui est restée à notre service jusqu'à notre retour en France, prenait ses repas à la table familiale, exactement comme n'importe lequel d'entre nous.

Mes parents sont tous deux nés en Tunisie, enfants de la deuxième ou, du côté de ma mère, de la troisième génération d'émigrés arrivés à la fin du XIXe siècle. Attachée à un mode de vie « France traditionnelle », ma mère reproduisait l'éducation stricte et « comme il faut » qu'elle avait reçue.

Malgré l'influence méditerranéenne à laquelle nul ne peut résister, mes parents se comportaient à peu près comme s'ils avaient vécu à Bordeaux ou à Montpellier. Significativement, aucun de nous ne parlait avec l'accent typique des Français du Maghreb. Nous fréquentions l'école française, le club de tennis, les Jeunesses musicales de France. Chaque année, nous assistions aux représentations de la Comédie-Française au théâtre antique de Dougga. J'ai ainsi vu de nombreuses pièces du répertoire classique, et la représentation de *Phèdre* m'a particulièrement marqué.

Mon père nous avait offert un des premiers électrophones avec des disques : musique classique pour ma mère et chansons pour les enfants. Pas la moindre trace de musique orientale : à l'époque, j'ignorais jusqu'au nom d'Oum Kalsoum, pourtant au faîte de sa gloire.

Malgré cette prégnance du « fait français » dans notre vie quotidienne, je n'avais pas l'impression de vivre sur une autre planète, d'être coupé de l'ambiance tunisienne. À la table familiale, nous mangions de la cuisine française. Mais, au moins une fois par semaine, ma mère, qui, contrairement à beaucoup d'Européennes nées en Tunisie, n'avait jamais appris à faire le couscous, en faisait venir, et, pour tous, c'était jour de fête. Nous, les enfants, nous adorions les délices de l'Orient. Dès que nous avons été en âge de sortir seuls, le dimanche après-midi, vers cinq heures, j'allais avec mon frère me gaver – c'est le mot ! – de ces succulents chaussons au thon et aux légumes frits qu'on appelle là-bas des « fricassées », de beignets trempés de miel, de gâteaux tunisiens à la pâte frite et aux amandes. Ma mère a vite compris pourquoi nous manquions d'appétit au dîner...

Mes parents étaient remplis de paradoxes. Malgré leurs opinions conservatrices, ils avaient appris à se débrouiller dans la langue du pays. Ils s'insurgeaient même contre le fait qu'à l'école française il n'y ait pas de cours d'arabe pour les petits Français. Ils n'étaient pas spontanément pour l'indépendance de la Tunisie. Mais ils trouvaient tout à fait normal que la fille de Khikha fasse les mêmes études que nous, et ils y contribuaient. L'indépendance venue, ils ont finalement accueilli celle-ci avec sérénité, se disant même heureux pour leurs amis tunisiens. Ils ont d'ailleurs vécu encore huit autres années en Tunisie, avant de la quitter définitivement en 1964.

Mes parents n'appartenaient en fait à aucune des catégories habituelles des Européens qui vivaient en Tunisie. Ils n'étaient pas des colons au sens propre. Depuis deux générations, dans la famille de ma mère, les hommes étaient des hauts fonctionnaires. Mon père était géomètre, son propre père avait été capitaine de plusieurs ports tunisiens. Mais, dans les deux branches, il s'agissait d'enfants nés ou installés dans le pays qui ne partageaient pas la mentalité des gestionnaires métropolitains tournant de poste en poste au sein de l'administration coloniale, provisoirement transplantés dans un monde étranger qu'ils ne cherchaient pas toujours à comprendre. Mes parents gardaient une certaine distance avec les milieux pieds-noirs. Ils n'avaient guère de liens avec l'importante communauté juive présente en Tunisie depuis l'Antiquité ni ne faisaient partie des Italiens – malgré leurs origines –, des Maltais ou des Espagnols installés là en nombre. Ils étaient en fait assez atypiques, et cela explique peut-être qu'en dépit de leurs convictions ils demeuraient assez indemnes de comportements racistes.

Ils en ont également été protégés, je crois, par leurs croyances – bien qu'elles aient été radicalement opposées. Ma mère était profondément chrétienne. La foi fervente qui l'animait la portait à accorder beaucoup de valeur à la solidarité, à l'action sociale catholique. Elle avait sans doute recueilli, à sa manière, le message d'amour et de respect universels transmis par l'Évangile. Mon père, lui, était un athée virulent. Il n'accordait pas plus de foi aux doctrines coraniques qu'aux dogmes papistes. Cela rendait leur cohabitation parfois explosive mais les a préservés du mépris vis-à-vis d'une culture et d'une religion différentes.

J'ai donc eu des copains arabes sans que mes parents y redisent jamais rien. Certes, ils surveillaient sévèrement mes fréquentations et m'interdisaient de traîner dans les rues avec les « petits voyous ». Ils tenaient à rencontrer les parents des enfants avec lesquels je jouais, qu'ils soient européens ou tunisiens.

Pour mes parents, un Arabe était réellement égal à un Français. Il est vrai qu'ils ajoutaient : « à formation équivalente ». Pour être tout à fait honnête, je dirai qu'ils avaient une vision élitiste de la démocratie : seuls les peuples très éduqués et évolués en étaient vraiment dignes. Ils vouaient un culte, sans doute excessif, aux études et aux diplômes, d'autant plus qu'ils étaient eux-mêmes un peu déclassés de ce point de vue par rapport à leurs parents – ma mère avait fait des études d'infirmière avant son mariage, et mon père une école d'hydrographie. Ils jugeaient que la masse des Arabes n'était pas assez éduquée. La Tunisie n'était pas prête pour l'indépendance, elle manquait de médecins, d'ingénieurs, de juristes. En attendant qu'ils soient formés en nombre suffisant, la colonisation n'était pas un mal. C'était là la limite de leur ouverture d'esprit. Je me souviens ainsi de certaines formules maladroites que, fort heureusement, j'entendais rarement.

À l'époque, dans le milieu des Français de Tunisie, le racisme filtrait dans le discours ambiant : qu'un Européen vaille mieux qu'un Arabe allait de soi. Entre les Européens eux-mêmes, il existait une sorte de hiérarchie implicite : au sommet, on trouvait les Français. Être italien, c'était déjà moins chic, mais ça valait toujours mieux que d'être maltais. Puis venaient les Siciliens ou les Espagnols. Dans la dernière catégorie, on trouvait les Juifs et les Arabes. Certains mettaient les Juifs en premier, d'autres les Arabes. Ces conceptions me semblaient aberrantes. En tant que français, nous nous trouvions au sommet de cette hiérarchie débile. Mais est-ce que ma grand-mère toscane (du côté de mon père), ou mon arrière-grand-mère génoise (du côté de ma mère) valaient « moins » que mes grands-pères breton et périgourdin ou que ma grand-mère anglaise ? Ces questions toutes simples n'étaient jamais ouvertement posées, bien que de nombreuses familles dites françaises aient eu des origines aussi mêlées que les nôtres. La plupart des gens s'en tenaient, paresseusement, à cette vague idéologie aussi peu généreuse qu'approximative. Celle-ci me semblait d'autant plus absurde que, dans la réalité des rapports quotidiens, l'atmosphère était tout autre. La vie en commun n'était pas entachée d'ostracisme. Arabes musulmans ou Arabes athées – à l'époque, ils ne se cachaient pas –, Juifs pratiquants ou non, Européens catholiques ou incroyants, nous vivions dans une convivialité et une bonne humeur évidentes. Personne n'aurait songé à jeter un caillou sur un enfant portant la kippa, personne ne se moquait des petits camarades qui jeûnaient pour le ramadan. C'était la *dolce vita*, plutôt que l'esprit de ghetto, qui imprégnait la trame des jours.

C'est au milieu de cette enfance préservée que la violence de l'Histoire a fait irruption, nous infligeant une de ces cruelles leçons qui marquent les consciences. L'indépendance de 1956 avait été proclamée sans effusion de sang. J'ai su plus tard ce qu'elle devait à la modération des leaders, Habib Bourguiba et Pierre Mendès France, qui l'avaient négociée. La Tunisie avait provisoirement concédé Bizerte et son importante base navale à la France. Cette place forte postée à la pointe nord de l'Afrique commande en effet le passage stratégique entre l'est et l'ouest de la Méditerranée. Mais, en 1961, Bourguiba réclame l'évacuation de Bizerte. De Gaulle refuse. Cette fois, la pondération n'est pas de la partie, les deux dirigeants s'entêtent. Des foules de manifestants tunisiens envahissent les rues et bloquent la base militaire. Le 19 juillet, des paras français venus d'Algérie débarquent à Bizerte.

J'avais onze ans. Ces querelles byzantines m'échappaient. Je me souviens seulement de mon excitation à voir les parachutistes sauter sur la terrasse de notre immeuble. Élevé dans un esprit très patriotique, j'étais ravi de voir flotter le drapeau français et d'entendre résonner *La Marseillaise*. Mais la crise n'allait pas tarder à déboucher sur une tragédie. Entre le 20 et le 22 juillet, le bras de fer tourne au conflit armé. Une âpre bataille oppose les militaires français et tunisiens. Les avions français bombardent les abords de la ville, les paras ouvrent le feu sur les manifestants. D'une fenêtre de notre appartement, au cœur de la cité, j'ai vu mourir des jeunes Arabes, des adolescents de dix-sept ou dix-huit ans, tombant par dizaines dans les combats de rue. Je m'en souviens comme si c'était hier. Je me disais avec rage : « Mais en plus, ils sont chez eux ! » Mon amour pour la France devenait soudain une souffrance.

Combien de morts ? Plusieurs dizaines de milliers selon les Tunisiens, un millier selon les Français. Vaines querelles de chiffres, comme toujours, entre belligérants. Mais l'hécatombe dont j'ai été témoin m'a profondément bouleversé, d'autant qu'à peine quelques mois plus tard de Gaulle et Bourguiba se sont mis d'accord sur l'évacuation de la base en 1963. Toutes ces vies fauchées pour en arriver là ! Dans mon cœur de gosse de onze ans, une multitude de sentiments inconnus se mélangeaient furieusement : écœurement face à cette sanglante et absurde tragédie, colère contre la bêtise et l'orgueil qui préfèrent anéantir tant d'existences plutôt que de chercher le compromis... à temps. Amour blessé pour la France, amour douloureux pour la Tunisie. C'est à ce moment-là que tout s'est mis en place : un sentiment de révolte contre ce qui m'apparaît comme un déni de justice ou la loi du plus fort.

Après la crise, la vie a repris son cours, il y a eu de nouveau des promenades, des fêtes, des fous rires. La mer était toujours là, et le plaisir de se baigner, de profiter de la plage plusieurs mois par an. Mon amour pour cette magnifique baie ensoleillée, pour cet air, cette vie, ces habitants, pour ces odeurs et ces musiques s'était peut-être un peu voilé. Le bonheur était un peu moins simple. Peut-être étais-je sorti de l'enfance.

Beaucoup de Français, et quasiment tous les Juifs, ont rapidement quitté Bizerte. À la rentrée suivante, le lycée public Stephen-Pichon où j'avais fait ma sixième a fermé. Les religieuses de l'institution Sainte-Marie – jusque-là réservée aux filles – ont accueilli les garçons. J'y ai étudié trois ans, de la cinquième à la troisième. En octobre 1963, l'armée française évacue la base. Bizerte est restituée à la Tunisie. Un an plus tard, nous prenons le bateau pour Marseille. Sur le pont, ma mère regarde les larmes aux yeux ce pays, son pays, qu'elle aime passionnément et qu'elle va quitter pour toujours. Elle a cinquante ans. Au moment où la sirène retentit, elle s'effondre. Elle a eu le courage de prendre cette dure décision, elle a réussi à tout liquider, à nous trouver un point de chute ainsi qu'un poste d'infirmière à Rodez. Mais, ce jour-là, sa vie se brise. Je le sais, je le vois. Nous sommes dans les premiers jours de septembre 1964, j'ai quatorze ans, je me dis : « C'est juste que la Tunisie soit indépendante, ce n'est pas juste de briser des vies. »

Mes convictions sont nées entre l'âge de onze ans et de quatorze ans. Le fait colonial m'a construit politiquement. Mon identité française et le patriotisme sont toujours pour moi une évidence. Mais la justice et l'égalité aussi.

Toute la suite est mûrissement. Vingt ans plus tard, quand Mitterrand et Jospin m'ont envoyé en Nouvelle-Calédonie pour essayer de comprendre un conflit qui s'éternisait entre Canaques et Caldoches – les autochtones et les descendants des colons –, j'ai pris la mesure de tout ce que je devais à cette époque fondatrice. Pour analyser une situation caractérisée par une histoire et des identités tout à fait différentes de celles que je connaissais, d'instinct, les valeurs et les émotions de mon adolescence tunisienne m'ont servi de référence. Dans un contexte différent, des populations distinctes proclamaient de manière contradictoire leur attachement à la même terre. Encore une fois, comment concilier le droit de tous à la démocratie et à l'égalité économique et sociale ?

À Rodez, j'ai d'abord été très désorienté. Pendant plusieurs mois, je m'y suis senti étranger. Et puis, quand je l'ai comprise, je lui ai voué un attachement indéfectible. C'est à cette ville que je dois d'avoir pris conscience de la lumière crue que l'Histoire se charge de jeter parfois sur les individus, révélant leur héroïsme ou leur lâcheté.

Je n'avais guère entendu parler de la Résistance jusque-là. La Seconde Guerre mondiale n'a pas été vécue avec la même intensité en Afrique du Nord. Bien que la Tunisie ait été occupée par l'Italie fasciste et bombardée par les Allemands, elle n'a pas été le théâtre d'une lutte acharnée impliquant les populations civiles. Enfant, je n'ai pas connu l'exaltation des récits mêlant héros et événements légendaires. Mon expérience vécue ou rêvée de l'Histoire ne remontait guère au-delà de l'indépendance tunisienne.

En Aveyron, il en allait tout autrement. Dans les années 1960, dans une ville de vingt mille habitants comme Rodez, le souvenir des années de guerre restait très vif. J'écoutais avec curiosité mes nouveaux camarades parler de telles familles qui comptaient de nombreux résistants ou des fusillés. De telles autres qui avaient collaboré. Et de celles qui s'étaient déchirées entre pro- et antiallemands. Sous l'Occupation, le préfet de Rodez, Louis Dupiech, était un héros. Affilié à un réseau clandestin de hauts fonctionnaires de Vichy, il avait été arrêté alors qu'il venait de déposer une gerbe devant la statue de Jeanne d'Arc et était mort en déportation, en mai 1945. À Sainte-Radegonde, petite commune voisine, un grand monument austère en pierre grise m'impressionnait particulièrement. Il était dédié aux trente jeunes résistants tombés entre les mains de la Gestapo, et qui avaient été exécutés là le 17 mars 1944, à la veille de l'évacuation de l'Aveyron par les troupes allemandes. Je me souviens de mon émotion en écoutant leur histoire. Ils avaient été mitraillés au fond d'une tranchée où on les avait entassés. Ils étaient tombés en chantant *La Marseillaise*. Pour les achever, les Allemands avaient jeté sur eux des grosses pierres. Plus tard, les squelettes et les crânes défoncés avaient été retrouvés.

Leur héroïsme me fascinait littéralement. Je vouais une intense admiration aux grandes figures comme Jean Moulin ou le général de Gaulle à qui nous devions de vivre en liberté et qui avaient sauvé l'honneur de la France. Rien dans l'histoire du XXe siècle ne me paraissait plus noble que leur combat. À quinze ans, je me demandais si j'aurais eu leur courage. Comment me serais-je conduit sous la torture ? Qu'aurais-je fait si, comme certains Ruthénois de ma connaissance, j'avais appartenu à une famille ou à un milieu vichystes ? Où prend-on la lucidité qui permet de faire le bon choix ? Pourquoi certains en sont capables, et d'autres non ?

Aujourd'hui encore, cette question me taraude. Franchement, je n'en connais pas la réponse avec certitude. L'ambiguïté des choix, le caractère terriblement contingent des déterminations qui font de nous un salaud ou un héros continuent de me hanter. Mon dégoût viscéral de toute atteinte à la dignité humaine m'aurait, je l'espère, protégé – au moins contre la tentation de l'antisémitisme...

Amen, le film de Costa-Gavras consacré à cette tragique époque de notre histoire, m'a bouleversé.

Mathieu Kassovitz campe un jeune prêtre qui découvre la réalité des camps et la cécité des autorités épiscopales. Avec une distance volontaire, parfois glaciale, *Amen* expose le scandale des compromissions quand l'essentiel s'efface devant d'autres considérations. Ce film est sorti en 2003, au moment où s'ouvraient les archives du Vatican. Des documents qui ne laissent place à aucune ambiguïté ont été rendus publics. Ainsi cette lettre d'Edith Stein, philosophe catholique, adressée au pape Pie XI dès avril 1933. « Nous craignons le pire pour l'image mondiale de l'Église si le silence se prolonge », plaidait-elle. Soixante-dix ans plus tard, on mesure la lucidité qui lui faisait prédire la Shoah. On mesure aussi la responsabilité des autorités religieuses. Manifestement, elles savaient, tout comme certains gouvernements occidentaux. Dans ces conditions, comment l'anéantissement méticuleux des Juifs a-t-il pu être mis en œuvre ? Seuls les outils de l'historien et l'accès aux secrets d'État permettraient peut-être de le comprendre. Reste que le régime nazi n'a pas été empêché de programmer et d'appliquer la « solution finale ». Et Edith Stein, allemande d'origine juive, est morte en déportation. Ce terrible constat nous interroge aussi sur le présent. Pour chacun, cette vérité est déstabilisante. Et inconfortable pour tout responsable public. Du petit compromis à la franche lâcheté, l'Histoire serait-elle moins tragique aujourd'hui ?

À la base de tout mon engagement politique, il y a l'indignation de l'enfant, la conviction de l'adolescent, et l'admiration pour les modèles légués par l'Histoire. Dans la hiérarchie de mes valeurs, les droits de l'homme sont au sommet. La démocratie d'abord, et le socialisme ensuite me sont peu à peu apparus comme les meilleurs instruments pour défendre ce modèle de société. Des événements et les réactions viscérales qu'ils m'inspiraient ont fait le reste.

Adolescent à Rodez, ces idées mûrissaient lentement dans ma tête. Lecteur assidu de *La Croix*, un très bon journal auquel ma mère était abonnée, je lisais aussi presque chaque jour *Le Monde*. La presse nourrissait les interrogations qui me tarabustaient depuis l'enfance, et qui, alors que j'étais haut comme trois pommes, me faisaient tenir de grands discours qui faisaient rire les adultes. À Rodez, je saoulais mes copains avec ma passion pour la politique. Nous allions au Broussy, le bistrot qui servait de quartier général à notre bande, pour jouer aux cartes, chahuter, draguer. Mes copains se souviennent encore que je « déconnais » autant que tous les autres, mais le plus souvent après avoir lu *Le Monde*.

Entre quinze et vingt ans, je ne trouvais pas de débouché concret à ces interrogations, rien à quoi je puisse adhérer. Dans ces années du gaullisme triomphant, la gauche était rétamée. La SFIO s'était gravement divisée à propos de la guerre d'Algérie, puis du coup de force qui avait ramené de Gaulle au pouvoir. Aucun leader ne se dégageait du marasme. L'homme politique que j'admirais le plus s'appelait Daniel Mayer et il était, depuis 1958, le président de la Ligue des droits de l'homme. Il ne tenait pas dans ces années-là un rôle de premier plan dans le jeu politique, mais tout dans son parcours m'impressionnait. D'abord, c'était un véritable résistant. Alors que la majorité du groupe socialiste s'était déconsidérée en juillet 1940 en votant les pleins pouvoirs à Pétain, Mayer, lui, s'était immédiatement engagé dans la Résistance. Chargé par Léon Blum de reconstruire le parti sous l'Occupation, il avait fondé le PS clandestin qu'il représentait au Conseil national de la Résistance sous la direction de Jean Moulin. À la Libération, il avait été élu, à trente-cinq ans, secrétaire général de la SFIO. Fonction dont il avait été rapidement éjecté par Guy Mollet. Ce dernier était une figure du socialisme que je n'aimais pas à cause de ses multiples compromissions, notamment sa politique coloniale durant la guerre d'Algérie.

Daniel Mayer suscitait ma très vive sympathie pour s'être obstinément opposé à la politique algérienne de Guy Mollet, jusqu'à claquer la porte du parti. Son anticolonialisme touchait une fibre sensible chez moi. Son sens sourcilleux des libertés publiques aussi. À la tête de la Ligue des droits de l'homme, il était de ceux qui critiquaient avec le plus de véhémence les dérives autoritaires de De Gaulle. Spontanément, c'est lui que j'aurais vu comme le candidat unique d'une gauche que j'aurais souhaitée unie à l'élection présidentielle de 1969. Defferre (PS), Rocard (PSU) et Duclos (PC) s'étaient présentés – et avaient été battus – contre Pompidou. Je pensais que Daniel Mayer aurait pu réaliser l'exploit qu'avait frôlé, quatre ans plus tôt, à la présidentielle de 1965, un certain François Mitterrand : issu d'un groupe minoritaire mais soutenu par tous les partis de gauche, ce dernier avait réussi, à la stupéfaction générale, à mettre de Gaulle en ballottage. Je n'avais encore eu aucun contact avec le monde de l'engagement politique. De Mitterrand, je ne pensais rien. Mais, sans l'avoir jamais rencontré, j'avais intuitivement placé Daniel Mayer dans mon panthéon.

Quand je suis entré au PS, en 1972, j'ai pris la mesure de la stature de Mitterrand. C'est même grâce à lui que je me suis engagé en politique. Mais j'ai été fou de joie d'atterrir, en arrivant à Paris, dans la même section que Daniel Mayer. Une rencontre improbable se réalisait. Et en 1981, j'ai été particulièrement fier d'être le député élu d'une circonscription où il avait été candidat dix-huit ans plus tôt !

Daniel a témoigné beaucoup d'affection au jeune militant que j'étais. C'était un tout petit monsieur, extrêmement fin, très souvent accompagné de son épouse, Cletta. Ils étaient alors déjà âgés. Mais Daniel restait un homme passionné, cultivé, orateur brillantissime. Dans cette section dont j'étais le secrétaire, j'avais eu un jour à gérer un gros pépin. Un camarade avait tenu des propos antisémites, ce qui avait provoqué une empoignade violente. Toute la section s'était liguée contre lui et voulait l'expulser. Les esprits étaient tellement échauffés qu'aucun dialogue n'était plus possible. Inquiet, j'ai demandé à Daniel de venir à la réunion suivante. Il a réussi, grâce à la générosité de ses convictions mais aussi à la puissance de son verbe, à rassembler tout le monde en montrant qu'ils avaient tous à se garder de la même faute : s'exclure, se rejeter. En restant intransigeant sur l'essentiel : pas la moindre concession à l'antisémitisme et au racisme. Il a même réussi à extirper ce mal chez le fauteur de troubles.

Ce genre d'incident était rarissime. C'étaient, croyais-je, les derniers sursauts d'une infamie en voie de disparition, l'antisémitisme. Jusqu'à ce 3 octobre 1980, où la bombe qui a explosé rue Copernic m'a fait prendre la mesure de mon erreur. L'héroïsme de nos aînés ne nous avait pas vaccinés contre ce fléau. Je suis alors devenu membre de toutes les associations de défense de ces valeurs : LICRA, MRAP, Ligue des droits de l'homme (LDH). Un an plus tard, député du XVIIIe arrondissement, à la demande du président de la Ligue des droits de l'homme, Henri Noguères, et de Françoise Seligmann, résistante, collaboratrice de Pierre Mendès France puis de François Mitterrand et surtout femme de cœur dont j'ai reçu et reçois toujours tant d'affection, j'ai fondé l'intergroupe des parlementaires de la LDH pour les trois Chambres (Assemblée nationale, Sénat, Parlement européen). Ce groupe, que j'ai présidé jusqu'en 1984, est aujourd'hui encore en activité.

Aussi incontournables qu'ils puissent nous paraître, nos acquis en matière de droits de l'homme ne sont, hélas, pas gravés dans le marbre. Il nous faut sans cesse les consolider, les réaffirmer, les raviver. Les plus « solides » subissent chaque jour des coups de canif – ou des coups de boutoir. Il suffit de penser à la condition des filles dans nos banlieues. On continue de lapider à mort des femmes accusées d'adultère au Nigeria. En France même, il s'est trouvé des imams rétrogrades pour justifier le droit à la violence des maris sur leurs épouses. La peine de mort a été abolie dans notre pays en octobre 1981, et c'est une de mes plus grandes fiertés d'avoir été parmi ceux qui ont voté la loi. Mais elle continue à être pratiquée à une large échelle dans le monde, de la Chine aux États-Unis, et des voix s'élèvent çà et là pour son rétablissement dans nos pays. Que nous ayons à convaincre encore sur ce sujet m'étonne toujours !

De nouvelles atteintes aux droits des individus apparaissent, y compris au sein de nos sociétés relativement privilégiées. Certaines sont d'autant plus inexcusables qu'elles découlent de notre négligence. C'est par exemple le cas pour les droits des handicapés.

Quand nous sommes arrivés à la mairie de Paris, de nombreux bureaux de vote n'étaient pas accessibles aux fauteuils roulants ! On croit rêver : personne ne se souciait que les personnes handicapées puissent exercer leur droit de citoyen. Depuis, nous avons équipé presque tous les bureaux de dispositifs amovibles qui permettent la circulation des fauteuils. Mais la plupart des locaux publics restent encore inaccessibles. Sous l'impulsion de Pénélope Komitès* et de mon conseiller Hamou Bouakkaz, nous multiplions donc les travaux pour y remédier. Ainsi, nous avons lancé en novembre 2003 avec le soutien de région Île-de-France un programme de transport, le PAM (Paris accompagnement mobilité), qui consiste à mettre à leur disposition un véhicule pour assurer leurs déplacements. Ils peuvent désormais aller au théâtre ou faire des démarches administratives ou autres. Nous avons également commencé à équiper la voirie pour les fauteuils roulants, pour les aveugles, pour les sourds, etc. Il s'agit véritablement de droits de l'homme. Nous y consacrons pendant cinq ans une part importante du budget de la Ville. La dotation annuelle a été multipliée par 10, passant de 2,4 millions d'euros en 2001 à 23,6 millions en 2003. Et Alain Lhostis**, en notre nom, se bat au sein du conseil d'administration de l'Assistance publique pour que l'ancien site de Saint-Vincent-de-Paul puisse accueillir une structure médico-sociale innovante qui prendrait en charge des enfants et des adolescents handicapés.

De nombreux problèmes de société soulèvent

---

* Adjointe chargée des personnes handicapées.

** Adjoint chargé de la santé et des relations avec l'Assistance publique - Hôpitaux de Paris.

aujourd'hui des interrogations quant au respect des droits individuels. Par exemple, l'incarcération des mineurs. Lourde responsabilité publique, dont dépend l'avenir de jeunes êtres et celui de la société. Je la trouve très maladroitement assumée par l'actuel gouvernement, qui a opté pour des centres complètement fermés.

Ces établissements ont beau être dotés en moyens et en personnels, le résultat est là : les enfants ne rêvent que de s'en échapper et y réussissent parfois. Même s'il ne résout pas tout, le projet, conçu par le gouvernement Jospin, de centres de semi-liberté me paraît plus judicieux. Nous étions d'ailleurs prêts à en créer un dans Paris. Les mineurs ont, certes, besoin d'un encadrement, ils doivent apprendre à accepter la contrainte plutôt que de la fuir, mais ils ont aussi un droit inaliénable à la liberté – imagine-t-on de les mettre sous les verrous pour le restant de leurs jours, comme cela se passe dans certains États américains ? Mieux vaut donc leur donner, avec une part de contrôle et même de contrainte, une éducation, une chance. C'est certainement plus profitable, y compris à ceux que menacent les actes de délinquance.

Plus problématique encore, la politique carcérale des adultes crée des problèmes qu'il faut bien qualifier d'humanitaires. L'univers des prisons est bien connu, des travaux de sociologues et des rapports parlementaires l'ont largement décrit. Il ne fait de doute pour personne qu'il souffre de maux qu'une société dite civilisée ne devrait pas tolérer. Loin de moi l'idée d'abolir la prison. Homme d'ordre, je suis favorable à la politique de la sanction. Celui qui vole le sac d'une vieille dame ou, pis encore, lui fait violence, doit évidemment subir un châtiment. Encore faut-il que la sanction s'accompagne du respect dû à toute personne. Dans l'hébergement, le chauffage, l'hygiène, les soins, l'accès à la formation, au monde de la connaissance et de l'intelligence, les rapports avec les autres, le détenu jouit-il du minimum de dignité auquel a droit tout être humain ?

Les chiffres sont parlants. Le taux de suicides a doublé en vingt ans, donnant un triste record à la France. En moyenne, on compte un suicide tous les trois jours dans nos prisons. Ces chiffres accablants s'expliquent en partie par la surpopulation : la population carcérale a augmenté de 22 % en deux ans, ce qui est énorme. Certains établissements ont un taux d'occupation de 300 %. L'espace vital, comme son nom l'indique, est nécessaire à la survie. Quand il rétrécit, le désespoir monte en flèche, la violence aussi, violence tournée contre soi ou contre le monde extérieur. Ces prisons deviennent des cloaques où prolifèrent les pires démons de nos sociétés.

Ce scandale me choque profondément : ces personnes sont punies pour avoir fait du tort à autrui. C'est juste, mais voilà qu'elles se retrouvent plongées dans un concentré de toutes les violences – physiques, morales, psychiques, sexuelles –, celles-là mêmes qui leur ont valu la sanction. En psychologie, cela s'appelle un *double bind* (« double lien » en français), comportement pervers qui consiste à exiger de quelqu'un à la fois une chose et son contraire, ce qui a pour effet en général de le pousser vers la folie. En l'occurrence, interdire la violence mais ne pas donner d'autre choix que la violence peut effectivement rendre fous des individus plutôt déséquilibrés.

Et voilà comment nous fabriquons des détraqués, des asociaux, des loups. Où est la rationalité dans ce système ? Et où est la morale ? Inefficace et barbare, notre politique répressive marche sur la tête. Elle s'enferme dans la même contradiction qu'hier sur la peine de mort : sous prétexte de punir les assassins, la société s'autorisait le meurtre. Certes, l'exercice de la force est légitime quand il s'agit de défendre le droit et les intérêts de chacun, mais quel échec quand une société qui se donne le droit pour idéal recourt aux mêmes procédés que ceux qu'elle prétend sanctionner !

La question est gravissime au regard des libertés et, plus fondamentalement, de nos choix de civilisation. Qui est à l'abri d'une mauvaise rencontre avec un récidiviste ? Qui peut jurer que ses enfants ne se retrouveront jamais derrière les barreaux ? Comment faire fi d'une question qui engage la responsabilité de notre société et son degré d'humanité ? Les solutions existent, mais elles exigent beaucoup de courage politique : il faut oser dire aux Français que le problème ne sera pas résolu seulement en construisant quelques prisons supplémentaires, aussi fonctionnelles soient-elles. Il nous faut engager une refonte complète de notre système judiciaire, car l'engorgement des prisons est d'abord imputable au délai de traitement des affaires. Comment peut-on admettre que l'incarcération préventive soit aussi longue, sachant que, par définition, elle concerne des personnes seulement « suspectées » à ce stade et qui seront peut-être déclarées innocentes ?

Il faut aborder franchement la question des coûts. Quelques réformettes ne suffiront pas. Il faudra mettre le paquet en termes de financement. À la justice d'abord, donnons les personnels, les locaux, les moyens de fonctionnement qui amélioreront son

« rendement » et respecteront mieux l'esprit de justice, précisément. Certains gouvernements l'ont tenté, dont celui de Lionel Jospin. Mais un trop long étalement de l'effort nuit mécaniquement à des résultats permettant de changer les choses de façon significative. Autrement dit, une modernisation d'une telle ampleur ne peut être menée en faisant l'économie d'un investissement massif.

La même constatation vaut pour la politique carcérale. Élaborons une nouvelle conception de la prison, et attendons-nous à ce qu'elle nous revienne très cher. Les gardiens, qui sont eux aussi en prison d'une certaine manière, ont besoin d'une véritable politique de ressources humaines : quels effectifs, quelle formation, quelle philosophie du métier, quel suivi, quelles perspectives de carrière ? La garde et la réinsertion des délinquants ne peuvent être confiées à un corps de métier négligé et déprécié, même si elles ont pour cadre une prison neuve et « moderne » – et il y en a fort peu...

Posons-nous surtout les questions qui dérangent : celle de la sexualité, par exemple. C'est très bien d'imaginer des pièces où les détenus peuvent recevoir une visite conjugale de temps à autre. Les Unités de visites familiales qui incluent ce qu'on appelle le « parloir sexuel » ont été initiées par Élisabeth Guigou lorsqu'elle était garde des Sceaux. L'idée était de réaliser trois établissements-tests. À ce jour, la droite n'en a lancé que deux. Théoriquement, le détenu peut y accéder tous les trois mois, pour une durée maximale de soixante-douze heures. Dans un studio aménagé à l'intérieur de la prison, il rencontre ainsi sa famille, ses enfants, ses proches, et peut bénéficier d'une certaine intimité, pourvu qu'il soit marié, pacsé ou lié officiellement par le concubinage.

Même s'il représente un progrès, les limites de ce système sont évidentes. D'abord, la vie en prison, c'est trois cent soixante-cinq jours par an, et le désir sexuel ne s'exprime pas une fois tous les trois mois. En outre, que faire quand les liens sont distendus ou inexistants ? Faut-il laisser, en détournant les yeux, les détenus organiser entre eux une vie sexuelle qui devra tout aux rapports de force ? Les Pays-Bas appliquent une solution que je n'approuve pas, mais qui a au moins le mérite de mettre le problème sur la table : ils organisent des rencontres avec des prostituées. En aucun cas je ne peux légitimer le recours à la prostitution. Raison de plus pour inventer d'autres solutions, qui passeront nécessairement par des rencontres programmées à l'extérieur de la prison. En effet, et c'est une autre limite, accueillir les proches du détenu dans l'enceinte pénitentiaire ne doit pas servir de prétexte à restreindre davantage les autorisations de sortie, dont on sait qu'elles seules permettent le maintien d'un semblant de vie de couple et préparent correctement la réinsertion.

Cette réinsertion, sur la nécessité de laquelle tout le monde s'accorde, ne doit pas être conçue comme une étape distincte et postérieure à la période de la détention, elle doit au contraire être placée au cœur de sa logique. Cela revient à dire que, dès le premier jour, la réinsertion du prisonnier doit être une préoccupation. La façon dont est gérée l'année qui précède la sortie est capitale. Là aussi, ce sont les leçons de la psychologie qui doivent nous guider. Tout le monde comprend que la motivation dite « négative » est un puissant instrument de dissuasion : la peur du gendarme agit sur la plupart d'entre nous, moins sur ceux qui ont franchi le cap, qui sont passés de l'autre côté de la frontière morale. Ces derniers ne peuvent être tenus pour irrécupérables. Il reste un très puissant levier psychologique, c'est la motivation « positive » : se former à un métier intéressant, accéder à des connaissances passionnantes, apprendre à établir des relations enrichissantes sont les armes les plus efficaces contre la récidive.

La difficulté s'accroît encore quand il s'agit de personnes souffrant de troubles psychiques. Telles qu'elles sont, nos prisons ne peuvent qu'aggraver ces troubles, quand elles ne les créent pas. Je suis effaré par l'absence de prise en compte de cette dimension dans le monde carcéral.

Comment peut-on avoir une réflexion sur la détention sans y inclure la prise en compte de l'état psychique et de son évolution ? L'homme qui m'a poignardé en octobre 2002 avait déjà fait un séjour en maison d'arrêt, les vols, dégradations de biens publics et usage de stupéfiants s'alignant sur son casier judiciaire. Les experts l'ont déclaré irresponsable pour cause de pathologie psychiatrique grave. Il a donc obtenu un non-lieu et a été enfermé dans un hôpital psychiatrique pour y être soigné. Sans contester la décision de la justice, je me pose deux questions. L'une concerne le passé : qu'est-ce que son acte doit à ses incarcérations précédentes, alors que d'évidence il avait besoin de traitements adaptés ? L'autre question concerne le futur : dans quelque temps, les psychiatres le laisseront sortir. Que se passera-t-il alors ? C'est là que le bât blesse. Car l'accompagnement hors du cadre hospitalier souffre de graves lacunes dans notre pays. Il est conçu comme reposant sur le consentement et la collaboration active du malade lui-même. Celui-ci doit se présenter de son propre chef au centre médico-psychologique de son quartier pour y renouveler ses ordonnances, après quoi, il doit aller retirer ses médicaments à la pharmacie et les prendre chaque jour à heure fixe. S'il n'est pas entouré par une famille ou des amis très dévoués, comment éviter qu'il ne retombe dans un délire psychotique ? S'il cesse de se rendre à la consultation, personne n'ira le chercher. Nos rues sont pleines de personnes « dérangées » – 30 % des SDF souffrent de troubles psychiques – dont l'hôpital psychiatrique s'est déchargé sur le réseau des centres dits « ouverts », qui n'ont ni les moyens, ni les structures, ni l'envie d'encadrer les fous en rupture de ban ! Ces derniers sont un danger pour eux-mêmes et pour autrui. Nous avons le devoir d'accompagner, de soigner et de protéger les personnes au psychisme perturbé, elles ont les mêmes droits que tous les malades. Et certainement encore plus besoin d'aide. Notre sécurité en dépend.

3

Madrid

Jeudi 11 mars, Madrid a été frappée au cœur. En quelques secondes, en plein centre d'une capitale ouverte et cosmopolite, cent quatre-vingt-onze personnes ont été tuées et près de deux mille autres blessées. La douleur de Madrid me met les larmes aux yeux, larmes de tristesse autant que de colère. Depuis plusieurs années, une sourde menace assombrit notre horizon. Nos aînés ont eu à combattre le nazisme dans un grand choc frontal. Un demi-siècle plus tard, nous devons, nous, livrer une guerre fantôme, affronter des ennemis sans visage, sans État, sans armée, dans une guerre absolue qui ne dit pas son nom.

Il ne se produit pas une catastrophe au monde sans que je me demande aussitôt : et si cela arrivait à Paris ? Cette question, je me la suis posée à l'occasion d'événements bien moins tragiques, comme la panne géante d'électricité qui a plongé Rome dans l'obscurité en septembre 2003. Plus douloureusement, elle s'était imposée le 11 septembre 2001.

Cette inquiétude concernant Paris me rapproche d'autant plus des Madrilènes. Comment manifester notre solidarité ?

Mon directeur de cabinet, Bernard Gaudillère, et

mon porte-parole, Laurent Fary, me suggèrent de tenir une séance extraordinaire du Conseil de Paris, comme nous l'avons fait au lendemain du 11 septembre. Nous en fixons la date au lundi 15 mars : il faut inviter l'ambassadeur d'Espagne, prévenir les présidents de groupe et envoyer des télégrammes à tous les élus.

Une manifestation se prépare à Madrid pour ce vendredi soir. Faut-il que j'y participe ? Je décide d'en parler avec le maire de Madrid, Alberto Ruíz-Gallardón, bien que je ne le connaisse pas. Comme son prédécesseur, il appartient au Parti populaire (conservateur). Depuis sa récente entrée en fonctions il y a moins d'un an, nous n'avons pas encore eu l'occasion de nous rendre visite. De plus, nous n'avons d'autre langue commune que l'anglais, que je maîtrise assez mal. Peu importe, nous nous débrouillerons.

Alberto Ruíz-Gallardón répond rapidement à mon appel. Je lui exprime mon chagrin, mon soutien, et l'informe de la tenue d'une séance extraordinaire en hommage aux victimes. Nous parlons du rassemblement prévu le soir même.

– On évoque autour de moi l'hypothèse que je vienne à Madrid. Je suis réticent. Vous auriez à vous occuper de moi, et vous avez des soucis infiniment plus pressants. Cela dit, si ma présence pouvait avoir la moindre utilité, je n'hésiterais pas à renoncer à toutes mes obligations.

– Vous le feriez ?

– Évidemment.

Cet homme éprouvé, triste, me dit immédiatement :

– Alors, venez ! Venez si vous pouvez. Ce serait formidable pour nous que le maire de Paris défile à nos côtés ce soir.

Mes rendez-vous sont annulés, ainsi que le meeting

auquel je devais participer à Tarbes, chez mon ami Jean Glavany, pour soutenir Martin Malvy, président de la région Midi-Pyrénées et candidat à sa réélection. Ma première adjointe, Anne Hidalgo, m'accompagne. Elle est profondément affectée par le drame de Madrid. Dans l'avion, je fais allusion à ses origines espagnoles. « Mais non, me dit Anne, je *suis* espagnole. Espagnole et française, j'ai la double nationalité. »

Comme Anne, comme les millions d'Espagnols qui communient ce soir-là dans une infinie tristesse, j'ai le cœur serré. Dans ces moments essentiels de l'Histoire, la vérité des symboles importe. Il ne faut pas calculer, réfléchir, il faut laisser l'affectif et l'émotionnel se mêler à la conviction et à la détermination. Ce soir-là, la force de cette foule, pleine d'une dignité et d'un courage impressionnants, exprime mieux que tous les discours cette réponse : « Vous voulez nous terroriser, mais la peur ne nous paralysera pas, nous ne nous laisserons pas abattre. »

En marchant sous la pluie battante, à Madrid, une autre manifestation me revient en mémoire. Celle à laquelle je m'étais joint, avec mon ami Pierre Schapira, il y a bien longtemps, le 3 octobre 1980. L'attentat contre la synagogue de la rue Copernic, premier d'une longue liste d'attentats racistes, nous avait plongés dans l'indignation. Un groupe terroriste palestinien avait placé une moto piégée à cent cinquante mètres de la synagogue et l'avait réglée pour qu'elle explose à la sortie de la prière du shabbat. Ce jour-là, par hasard, la prière s'était prolongée. Par hasard, le carnage projeté n'avait pas eu lieu. Mais quatre personnes étaient mortes, et vingt avaient été blessées.

Pour la première fois depuis 1944, en plein Paris, on s'attaquait aux Juifs en tant que juifs. J'étais bouleversé, stupéfait, révolté. Dans ma conscience de jeune élu du Conseil de Paris, je croyais l'antisémitisme définitivement révolu. Il nous revenait en pleine figure. Trente-cinq ans après la déroute du IIIe Reich, l'horreur faisait irruption à nouveau dans notre monde. Voici que, au beau milieu de notre quotidien, au cœur de la ville de toutes les identités, une identité particulière pouvait de nouveau servir de cible et motiver le crime ! Bouillant d'indignation, je suis allé à toutes les manifestations, jusqu'à me retrouver, un peu effaré, parmi les militants du BETAR (une organisation extrémiste de jeunesse juive) – je m'en suis vite éloigné. Mais je voulais être de toutes les colères. À ce moment-là, le seul acte possible consistait à dire et à répéter : « Je n'accepte pas. »

À Madrid aussi, avec tant d'autres, j'ai voulu dire : « Je n'accepte pas. » Sous le coup d'une telle barbarie, toute notre humanité se révulse. Plusieurs personnalités ont défilé place Christophe-Colomb afin de signifier leur solidarité. Pour les Madrilènes, le maire de Paris n'était pas un étranger venu présenter ses condoléances, il était de la famille. Et, comme tous les membres d'une famille frappée par le deuil, j'étais accouru pour être présent, sans phrases, dans la douleur commune. Pour signifier, ce jour-là : « Nous sommes tous madrilènes. »

Mais savons-nous assez, nous autres, citoyens des grandes cités, que cette fraternité n'est pas qu'un bon sentiment ? Pour le meilleur, et malheureusement pour le pire, c'est une étroite communauté de destin qui nous lie. Depuis la rue Copernic, le terrorisme s'est en effet lui aussi mondialisé. Il a changé de nature, de méthode, d'objectif. Aujourd'hui, sa cible privilégiée, c'est la Ville, là où il peut atteindre le maximum de vies et agresser nos valeurs. Comme le dit Paul Virilio, il est « urbanicide » dans son essence. Je cite parfois cette phrase de l'architecte Renzo Piano : « Le mot "urbain" est un très beau mot, il désigne ce qui appartient à la ville mais également ce qui est civilisé. » C'est précisément cette beauté-là qu'Al-Qaïda veut détruire.

Paris fait, bien entendu, partie des villes menacées. Notre société se réfère aux valeurs de démocratie et de raison. Elle crée du bonheur par sa diversité. Il suffit que nous prônions l'égalité au-delà de nos différences pour nous retrouver ipso facto dans le collimateur des terroristes. Pour eux, les êtres ne sont pas plus égaux que les spiritualités. L'une d'elles est supérieure à toutes les autres, confondues dans la haine du *kufr*, la mécréance.

Nous sommes tous conscients de la menace qui pèse sur Paris. Autour du préfet de police et en lien étroit avec des partenaires comme la RATP, l'Hôtel de Ville travaille à la prévention, principalement à travers l'information et la participation aux réseaux de crise. Comment se protéger ? D'abord par des mesures sécuritaires. S'il est un reproche à faire à l'Europe, c'est de ne pas avoir d'ores et déjà organisé, fédéré, voire centralisé les efforts de ses membres. Il semble que le carnage de Madrid ait quelque peu réveillé les consciences. Mais il a fallu, pour cela, toutes ces vies déchirées...

La faiblesse de la coopération entre l'Espagne et le Maroc après l'attentat de Casablanca du 16 mai 2003 démontre également que tout retard pris dans la mise en commun de nos moyens peut se révéler catastrophique. Plus généralement, une coopération mondialisée des services secrets, aujourd'hui insuffisante, et la surveillance des transactions financières transfrontalières pourraient entraver la circulation des ressources et des hommes et mettre en échec l'offensive terroriste.

Qui sont ces fanatiques qui assombrissent ce début de troisième millénaire ? Sont-ils les lointains avatars d'une folie qui n'a pas d'âge ? Depuis les zélotes de l'Antiquité jusqu'aux luttes anticoloniales, l'arme de la terreur a souvent été utilisée. On peut débattre sur la légitimité de la lutte armée, soutenir que c'est parfois le seul recours face à la violence d'État, la seule défense d'une juste cause. Dans sa fameuse préface aux *Damnés de la terre* de Frantz Fanon, bible du tiers-mondisme, Jean-Paul Sartre théorise sur la vertu cathartique de la terreur. L'acte terroriste, explique-t-il en substance, « fait d'une pierre deux coups » : il frappe l'oppresseur et, par un « choc » de sa conscience, il libère l'opprimé de sa propre passivité et de sa soumission au « maître ».

Cette théorie selon laquelle il faut « briser l'aliénation » a servi à justifier tous les mouvements armés de l'après-guerre : FLN, OLP, IRA, ETA, Brigades rouges, etc. Ma préférence va aux méthodes de Martin Luther King et de Nelson Mandela. Mais, historiquement, il est rare que les combats pour l'indépendance aient pu faire l'économie de la violence. Israéliens et Palestiniens n'ont-ils pas tour à tour recouru aux actes terroristes pour faire entendre leurs revendications nationales, au prix de souffrances toujours effroyables ? Mais ce qui fut sans doute inévitable pour les mouvements de libération nationale ne peut ni ne doit être excusé lorsqu'il s'agit d'établir la domination d'une idée, d'une religion ou d'un pouvoir. Pas plus que pour les talibans je n'éprouve d'indulgence pour les militants d'Action directe ou des Brigades rouges.

En mars 2004, le Conseil de Paris a voté une résolution soutenant Cesare Battisti, ancien membre des Brigades rouges, condamné en Italie pour plusieurs actions meurtrières, qui avait été accueilli par la France avec cent cinquante autres anciens activistes à la condition expresse qu'ils renoncent à la violence. Je dois ici avouer avoir manqué de vigilance et d'autorité. S'il était juste que la majorité du Conseil de Paris s'exprime sur le droit, sur le respect de la parole donnée, et qu'elle demande en conséquence l'annulation de la mesure d'extradition qui frappait Battisti, en revanche, il est vraiment regrettable qu'elle ait exprimé de la complaisance, voire de la sympathie pour son passé. Les atteintes à la vie pour motif idéologique, les assassinats censés hâter le Grand Soir ne sont pas plus admissibles que les meurtres rituels ou les tueries au nom de la religion.

Quant à ces dernières, leurs auteurs ne sont pas les héritiers des mouvements de libération, mais bien ceux du fascisme. Les intégristes sont les fascistes du XXIe siècle. Les commandos de Ben Laden se sont emparés de la souffrance, de la frustration et de l'humiliation des populations musulmanes. Comme tous les mouvements extrémistes, ils fructifient sur le terreau du désespoir et de la peur.

Même si elle appuie sa stratégie sur des méthodes très différentes, ce sont les mêmes ressorts que l'extrême droite fait jouer.

Face à cette réalité, la réaction de l'Occident n'est pas toujours à la hauteur. Quand George W. Bush débute ses réunions de cabinet par une prière et le signe de la croix, il n'offre pas une alternative philosophiquement convaincante. La foi évangéliste qui inspire l'action du président américain n'est pas un rempart contre le fanatisme musulman. Croit-on vraiment que la démocratie séduira les peuples qui n'ont pas la chance de la connaître si elle leur apparaît sous les traits d'une religion, qui plus est, totalement étrangère à leur histoire ? Et comment être crédible quand la démocratie adopte des méthodes qui l'assimilent aux régimes totalitaires les plus féroces ? Après la révélation des exactions commises par les armées américaine et britannique sur des prisonniers irakiens – la remarque s'applique aussi au conflit afghan –, l'intellectuel et journaliste américain Lewis Lapham s'est d'ailleurs alarmé : « Nous sommes en train de perdre la pratique et l'idée même de démocratie. »

Comment ne pas être atterré par la catastrophique guerre d'Irak déclenchée sur des prétextes mensongers, et qui coûte si cher aux populations civiles ? Comment excuser le scandale de Guantanamo où, malgré la vague de protestations internationales, le gouvernement américain détient plusieurs centaines de personnes sans inculpation ni jugement ? Considérées comme des « combattants illégaux », ces personnes sont privées des droits garantis par la convention de Genève sur les prisonniers de guerre, et sont détenues dans des conditions qui, selon le CICR, « pourraient s'apparenter à une forme de traitement cruel, inhumain et dégradant ». L'État de droit nous donne suffisamment de moyens pour établir la vérité et punir les criminels pour ne pas à notre tour sombrer dans le sordide. Quelle folie de prétendre combattre le terrorisme par le non-droit ! Quel navrant paradoxe, en effet, que la « croisade » américaine rende suspect ce modèle qu'elle est censée promouvoir !

Avec d'autres objectifs, évidemment, et d'autres moyens, Bush se situe lui aussi sur le terrain de l'irrationnel. Il se réclame d'une croyance qui prétend contenir toutes les réponses à l'organisation d'une société, niant par là même la séparation du spirituel et du temporel. Une religion peut inspirer une civilisation, elle ne peut la régenter. Chaque fois qu'une Église, quelle qu'elle soit, a voulu diriger une société, elle a produit le totalitarisme. Reste que les États-Unis, Bush inclus, ne vouent pas un culte malsain à la mort. Je n'aime pas la sourde hostilité que l'Amérique inspire parfois à nos concitoyens. Au-delà de ses outrances et de ses maladresses, n'oublions pas que, fondamentalement, elle est une société démocratique, nourrie d'immigration et donc de différences. Les fous d'Allah, eux, ne défendent pas un projet social, ils servent un dessein divin. Ils ne proposent rien qui soit émancipateur pour les individus. Leur idéologie n'est pas politique, elle est apocalyptique. Ils ne visent pas un « bien » (la reconnaissance d'un droit) via un « mal » (le plus limité possible). C'est l'exact inverse : dans un délire mortifère, ils recherchent sciemment le Mal en faisant le plus de mal possible et en ayant recours, pour cela, aux techniques les plus sophistiquées.

La façon dont l'image est utilisée par les uns et les autres est très révélatrice. Les photos prises dans la prison irakienne d'Abou Ghraib ont légitimement suscité l'indignation. Mais, dans une démocratie comme les États-Unis, elles entraînent une enquête et ébranlent les autorités politiques et militaires. Entre les mains des bourreaux islamistes, au contraire, l'image n'a ni la vocation ni le pouvoir de redonner force au droit et à la justice. Lorsque sont filmées les décapitations d'otages, la vidéo n'est qu'une arme de plus pour agresser les consciences et servir le terrorisme psychologique. Que, dans leurs divagations démentes, ces fanatiques croient ainsi obtenir, in fine, le Bien suprême, c'est-à-dire l'instauration du califat ou du règne de Dieu ne change rien à leur objectif avoué : ils recherchent la destruction physique et morale, la sidération des esprits. Ils veulent annihiler les consciences et le libre arbitre.

Même s'il se revendique d'essence nationale, le terrorisme des Tchétchènes n'est, hélas, pas sans rapport. Leur combat contre l'oppression russe et pour la sauvegarde de leur identité est une cause respectable. D'autant que l'armée du Kremlin sait prendre sa part de la boucherie imposée à ce peuple torturé. Mais la méthode qui consiste à envoyer des kamikazes prendre en otages des civils par centaines, comme ce fut le cas en octobre 2002 dans le théâtre Doubrovka, à Moscou, démontre un terrible mépris de la vie. La lutte pour l'émancipation palestinienne est entraînée dans la même dérive. J'en parle souvent avec mes amis arabes, parfois indulgents à l'égard des mouvements intégristes palestiniens. C'est une erreur tactique : en infligeant aveuglément la mort, ces actions sèment une haine et une terreur qui affaiblissent leur propre cause, car ils rendent infiniment plus difficile la création d'un État palestinien. Plus grave encore, le péché contre l'esprit : en encourageant les attentats suicides, ils vouent un culte vénéneux à la mort. Ce faisant, ils amorcent une terrible escalade : une société doit respecter avant tout la vie de ses propres enfants. Sinon, comment peut-elle l'exiger de son ennemi ?

La réponse israélienne le prouve tous les jours. Inefficace quand elle croit assurer la sécurité des Israéliens en érigeant le mur de la haine, cette réponse est franchement détestable quand elle recourt aux assassinats d'État comme celui qui a coûté la vie au cheikh Yassine le 22 mars 2004. Que ce soit clair : ce propagateur d'un discours de mort, porte-parole de l'apocalypse islamiste, n'a jamais suscité la moindre étincelle d'estime chez moi. Mais une société ne peut pas être fondée sur des valeurs humanistes – c'est le cas d'Israël – et recourir à de telles méthodes. De plus, la riposte israélienne éteint l'espérance des Palestiniens et tue dans l'œuf toute volonté de coexistence.

La façon dont le problème palestinien évoluera est capitale pour l'avenir de tous. Chacun voit bien que nous ne pouvons pas espérer rester à l'écart, ne serait-ce que parce qu'il fournit, de gré ou de force, une caution « sacrée » à l'hyperterrorisme islamiste. Mais il faut aussi savoir que pour Ben Laden, la Palestine n'est qu'un prétexte. Il prétend imposer sa vision totalitaire à l'ensemble du monde, en commençant par le monde musulman. C'est pourquoi il faut soutenir ceux qui, au sein de l'islam, combattent ce dessein, comme ces intellectuels qui rouvrent, avec courage, les chantiers de la pensée coranique. Ils travaillent à la modernisation d'une tradition trop longtemps figée. En relisant leur héritage à la lumière de la raison, c'est la Raison universelle qu'ils enrichissent, c'est notre liberté à tous qu'ils défendent.

Face au mal absolu, nous avons besoin de toutes nos forces. Ainsi, aujourd'hui, il faut être très attentif à l'égard du gouvernement turc confronté lui aussi au terrorisme islamiste. Souvenons-nous des attentats suicides de novembre 2003 à Istanbul qui ont fait des dizaines de morts et des centaines de blessés. Le parti au pouvoir (AKP, Parti du développement et de la justice) est indéniablement un parti islamiste. Il définit l'identité de la nation d'abord par rapport à la religion. Mais, démocratiquement élus, ces anciens intégristes évoluent vers une attitude plus responsable. Ils tentent de concilier leur fidélité à une politique religieuse avec une gestion moderne de l'État et un relatif respect de la laïcité. Surtout, ils souhaitent entrer dans l'ensemble européen et participer à sa civilisation. Ils se posent une question très difficile : comment être philosophiquement et politiquement musulman sans tomber dans l'intolérance et le totalitarisme ?

C'est précisément cette tentative que les terroristes veulent dynamiter. Significativement, ils ont choisi de frapper des synagogues turques, afin de faire basculer la population dans l'antisémitisme. D'évidence, nous sommes des alliés objectifs dans le combat contre le terrorisme. Opter pour la solidarité nous donnerait une chance de vaincre l'ennemi commun. Si aujourd'hui nous ne nous tenons pas fermement aux côtés d'un régime musulman lorsqu'il lutte contre la radicalisation, nous ouvrons un boulevard aux extrémistes.

Les combats essentiels exigent des positions nettes. En avril 2002, face à l'extrême droite, je n'ai pas pinaillé : j'ai fait campagne en faveur du vote Chirac. Ce dernier est pourtant, dans l'arc républicain, ce qu'il y a de plus opposé à ma conception de la vie démocratique. Mais il représentait à ce moment-là le seul instrument pour battre une idéologie mortelle – celle qui prétend résoudre nos problèmes par le rejet de l'autre et la diabolisation des différences. Soutenir la candidature Chirac était un devoir, accompli sans enthousiasme, et même avec une certaine froideur. Il ne faut jamais céder sur les valeurs.

À une époque plus héroïque, il y eut un leader arabe pour donner l'exemple. Quand la Seconde Guerre mondiale éclate, Habib Bourguiba est déjà une grande figure du combat pour la décolonisation de la Tunisie. Courtisé par Mussolini, qui espère l'enrôler contre la Résistance française en Afrique du Nord, Bourguiba ne perd pas de vue les valeurs humanistes. Le 8 août 1942, il n'hésite pas à condamner le fascisme et appelle au soutien inconditionnel des forces alliées, ce qui lui vaudra d'être aussitôt arrêté par les nazis.

Ce grand homme a mené le combat de l'indépendance, loin de la logique du « tout ou rien », progressant pas à pas, au rythme des sacrifices et des compromis. La victoire qu'il arrache en contournant les haines et les blessures écarte les logiques de vengeance et préserve les liens avec la France. Ses convictions, son prestige lui permettent alors de fonder le pays moderne qu'il désire pour son peuple : affirmation d'un État laïc, généralisation de l'enseignement, et surtout émancipation des femmes.

Le riche héritage que Bourguiba lègue à notre époque est un message adressé à travers le temps aux faussaires de la religion. L'islam n'est pas condamné à l'obscurantisme. « Mon vœu le plus cher, dit-il à la fin de son mémorable discours de Jéricho, en 1965, est que les musulmans vivent dans une communion des cœurs encore plus étroite, que les dirigeants réalisent entre eux une meilleure compréhension et combattent tous les complexes de quelque sorte que ce soit : complexe d'infériorité ou complexe de supériorité, qui risqueraient de nous précipiter dans une catastrophe, ce que nous pouvons sûrement éviter, grâce à un recours incessant à la raison et à l'intelligence. »

J'ai eu la chance de connaître intimement cette Tunisie qui a réussi à se préserver de la haine. Enfant de Bizerte dans les années 1950, j'ai savouré sa douceur de vivre. L'odeur du jasmin était enivrante pour tout le monde. Les filles qui se baignaient sur les plages n'avaient pas honte de leur corps. Musulmans, Juifs, chrétiens ou athées, Arabes, Italiens, Maltais ou Français, nous cohabitions dans la joie de vivre méditerranéenne.

C'est cet héritage qui m'inspire aujourd'hui. Après Madrid, chaque fois que l'occasion m'en a été donnée pendant les récentes campagnes électorales, j'ai plaidé de toutes mes forces pour notre précieuse civilisation qui a l'intelligence de proposer un mode de vie commune où catholiques, musulmans, Juifs, athées, agnostiques, coexistent, où chaque spiritualité trouve sa place et confie à la démocratie le soin d'organiser la société. C'est le défi des prochaines années. Face à ces enjeux, on ne peut se satisfaire de demi-convictions. Il s'agit de la Vie et de la Mort. Il existe des idéologies de vie et des idéologies de mort. Le choix est aussi clair qu'à propos de la peine capitale : les valeurs des Lumières, liberté, droits de l'homme, égalité, ne sont pas négociables, et tout démocrate doit s'en sentir le combattant. Je n'ai pas fait un seul meeting sans aborder dès les premières phrases notre combat vital contre le terrorisme. Sur ce front-là, il n'y a pas de différence droite-gauche qui compte. Nous sommes tous concernés. Toute personne qui aime la démocratie doit la défendre en votant, car toute voix, qu'elle se porte sur un candidat de droite ou de gauche, est une voix pour la démocratie – un rempart contre le terrorisme.

Chaque fois, j'ai insisté sur le besoin d'une réponse sécuritaire. Il faut accepter pleinement cette contrainte, tout en veillant à ce qu'elle s'exerce sans manipulation ni excès. Mais il est tout aussi indispensable de faire front avec nos convictions. Si nous voulons vaincre le terrorisme, nous devons refuser qu'une composante de la population française soit stigmatisée en raison de son lien avec le monde arabe ou musulman. Les barrages que nous dresserons contre l'exclusion sont notre bouclier. La force de notre modèle démocratique repose sur cette affirmation : il y a plus de richesse et de bonheur à vivre dans une société nourrie de différences que dans une société uniforme.

Ce discours a toujours été reçu avec gravité. Il s'adressait pourtant à des publics venus applaudir et encourager les candidats de gauche. Dans un silence intense, je les « voyais » entendre la nécessité de rassembler tous les démocrates contre le mal absolu du fanatisme et du nihilisme.

Notre démocratie n'est pas seulement menacée par des ennemis extérieurs. Par négligence, par esprit de routine, nous avons malheureusement tendance à oublier à quel point elle est précieuse. Les sociétés produisent périodiquement des idéologies, des systèmes et des pratiques inhumains. Esclavage, terreur d'État, colonialisme, racisme, antisémitisme, génocide, apartheid, nettoyage ethnique... L'Histoire ne semble jamais à court d'une barbarie. Chaque fois, l'être humain aveuglé n'en prend conscience que quand il est parvenu au bout de sa logique mortifère. Il ouvre alors les yeux et promet : « Plus jamais ça ! »

Puis les décennies passent, et tout doucement, insensiblement, il régresse à nouveau. Le choc de la Shoah, hélas, ne nous a pas empêchés de sombrer dans de nouveaux cauchemars. Nous sommes coupables d'avoir laissé faire le génocide cambodgien et celui des Tutsi au Rwanda. Au cœur de l'Europe, les Serbes de Mladić et de Karadzić ont pu assassiner sous nos yeux des populations entières de l'ex-Yougoslavie. Au Kosovo, après d'abjects massacres d'Albanais par les Serbes, c'est hélas l'inverse qui s'est produit. Sommes-nous donc condamnés à tomber si bas pour commencer à nous ressaisir ?

Elle nous semble si lointaine, l'époque – il y a soixante ans ! – où les démocrates ligués étaient venus à bout de l'horreur : racisme, destruction de masse, inhumanité. C'est pourquoi j'ai tenu à donner de l'ampleur à la célébration du soixantième anniversaire de la Libération de Paris, à travers un programme mêlant pédagogie, hommages et festivités. Des parcours-mémoire organisés dans chaque arrondissement au DVD d'images d'archives diffusé parmi tous les collégiens de Paris, l'Histoire devait légitimement trouver sa place. La fête aussi puisque, comme le disait Pierre Mendès France en évoquant ces journées brûlantes d'août 1944 : « Paris était bouleversant. Il faisait un temps admirable. Partout, des rubans tricolores, des drapeaux. Beaucoup de joie. » Dans cet esprit, c'est Jérôme Savary qui aura été le maître d'œuvre du grand bal populaire du 25 août, précédé d'un chaleureux spectacle « zazou ». Les cérémonies ne sont pas seulement un devoir de mémoire, ce sont des actes idéologiques par lesquels nous réaffirmons aujourd'hui notre fidélité au legs de nos aînés et donnons des armes à l'idéologie de la vie.

Le 25 février 2004, une plaque à la mémoire des victimes de la déportation avait été arrachée de la façade du gymnase Japy et retrouvée par terre, en morceaux. C'est dans ce gymnase qu'en 1941 et 1942 les familles juives raflées à Paris ont été internées avant d'être envoyées vers les camps de la mort. Une nouvelle plaque a été posée deux semaines plus tard, et inaugurée en présence des associations de déportés et de Georges Sarre, maire du XIe arrondissement. Il ne faut pas laisser croire qu'un tel acte n'est pas bien grave au regard des défis que le monde doit affronter de nos jours. Ceux qui ont commis cet acte de vandalisme sont des barbares. Je ne leur céderai pas un millimètre.

C'est aux enfants que nous devons parler, à nos enfants si perturbés par la montée des revendications haineuses. Aujourd'hui, dans chaque école où un élève fut envoyé dans les camps d'extermination nazis, ce souvenir est désormais inscrit dans la pierre. C'est pour moi l'occasion d'en parler avec les écoliers. Chaque fois, nous sommes tous très émus quand nous leur expliquons ce qui s'est passé. Un jour, ils seront adultes et aux responsabilités, ce sera à leur tour de transmettre ce message afin qu'il vive de génération en génération.

Il ne suffit pas de dénoncer les atrocités commises par les nazis – parfois avec la complicité active de responsables français. Depuis, nous nous sommes encore rendus coupables de crimes contre l'humanité. Le reconnaître n'est pas seulement un devoir à l'égard des victimes et de leurs descendants, mais aussi un devoir de mémoire vis-à-vis de nos propres valeurs piétinées. C'est pourquoi une plaque a été scellée sur le pont Saint-Michel, là où, le 17 octobre 1961, des manifestants algériens ont été précipités dans la Seine alors que Maurice Papon était préfet de police de Paris. Nous devions commémorer ce sombre événement, qui n'est toujours pas officiellement reconnu. Depuis 2003, il y a aussi, sur le pont du Carrousel, une plaque à la mémoire de Brahim Bouarram, ce jeune Marocain qui n'avait commis d'autre crime que d'être arabe, ce qui lui a valu d'être assassiné par les nazillons venus participer au défilé du Front national le 1er mai 1995.

De même, la place du 19-mars-1962, inaugurée récemment, rend hommage à tous ces jeunes gens qui ont participé, parfois au sacrifice de leur vie, à la guerre d'Algérie. Quarante ans plus tard, la France ne parvient toujours pas à évoquer ce tragique conflit sans que se réveillent les heurts et les passions. Au-delà de toute polémique, Paris a voulu honorer les anciens combattants, car la vérité historique, nul ne peut le contester, situe le 19 mars 1962 comme la fin officielle des combats, en application des accords d'Évian. Se référer à cette date, c'est donc reconnaître le statut de guerre coloniale au conflit algérien, là où les autorités françaises ont longtemps préféré parler pudiquement d'« opérations de maintien de l'ordre ». Vis-à-vis du peuple français et de sa propre histoire, assumer la réalité des faits tels qu'ils ont été écrits est un pas sur la voie de l'apaisement, même si le chemin est parfois accidenté.

Osons la vérité historique. C'est une des forces de notre civilisation. Depuis mon élection, Paris honore chaque année, le 24 avril, la mémoire des victimes du premier grand génocide du XXe siècle, celui des Arméniens de l'Empire ottoman. Sur ce continent saccagé par la Première Guerre mondiale, une entreprise de destruction d'un peuple s'est perpétrée en toute impunité, quelques années seulement avant celle menée par les nazis. Cette vérité continue d'être occultée par l'État turc. Le Parlement français, unanime, a reconnu en janvier 2001 le génocide arménien de 1915. En avril 2003, un monument, dont l'érection avait été décidée sous la mandature de Jean Tibéri, a pu voir le jour. Situé cours Albert-Ier, il représente la figure émouvante du père Komitas. Ce musicien, que Claude Debussy admirait, avait perdu la raison en assistant aux massacres et aux déportations de 1915. Conduit à Paris, il est mort en 1935 à l'hôpital psychiatrique de Villejuif. Dans mon propos, j'ai voulu dédier ce monument à la vérité et à la réconciliation. Le peuple turc du XXIe siècle ne peut être tenu pour responsable de ces crimes. Espérons que viendra le temps d'un grand homme d'État turc qui reconnaîtra publiquement le génocide arménien et demandera pardon, tel Willy Brandt, à genoux devant le monument aux morts du ghetto de Varsovie. Oublier ces victimes, comme le dit Elie Wiesel, c'est les « assassiner une seconde fois ». Il y a des gestes qui apaisent les victimes. Là réside l'immense vertu des gestes symboliques.

Ma tâche de maire est certes d'améliorer concrètement la vie de mes concitoyens. Mais il est au moins aussi essentiel de participer à tout ce qui affirme l'héritage historique, renforce le lien et permet de vivre ensemble aujourd'hui. N'oublions pas que la démocratie reste ultraminoritaire sur notre planète. C'est le combat du XXIe siècle : ce siècle ne sera pas religieux ; ce sera un siècle démocratique qui donnera sa place à l'identité, à la spiritualité, ou plutôt aux identités et aux spiritualités – ou bien ce sera un siècle de fer et de sang comme l'Histoire en regorge. Pensons à la sauvagerie qui a si longtemps marqué les rapports entre la France et l'Allemagne. Pensons à la cruauté de notre propre histoire.

Barbara le dit mieux que moi dans sa magnifique chanson, « Perlimpinpin » : *C'en est assez de vos violences*, chante-t-elle.

Et puis :

> *Car un enfant qui pleure*
> *Qu'il soit de n'importe où*
> *Est un enfant qui pleure*
> *Que c'est abominable d'avoir à choisir*
> *Entre deux innocences !*

4

Des murs à abattre

Toute discrimination est douloureuse. Celle qui frappe les homosexuels et surtout les plus jeunes d'entre eux l'est particulièrement. Des enquêtes démontrent que ces derniers courent un risque accru de suicide. L'adolescence est pour tous l'âge du mal-être, de la solitude, du besoin de s'affirmer et des difficultés affectives. Ces tourments sont souvent aggravés pour un homosexuel. Il est encore plus mal dans sa peau, il a encore plus de peine à se comprendre et à s'accepter, car *sa* différence est fréquemment stigmatisée. Ce qu'on appelle les souffrances identitaires sont plus difficiles à vivre dans son cas, car il n'a pas le recours d'en parler avec sa famille ou ses amis. Il craint le rejet de ceux-là mêmes qui devraient le protéger, le comprendre et l'aider. Le mépris qu'il subit n'est pas exactement de même nature que le racisme ou l'antisémitisme, car il le vit seul, dans le non-dit, le repli sur soi et la honte.

L'humanité a connu des périodes de tolérance où l'homosexualité n'était pas persécutée. Mais, même alors, jamais une pensée de l'égalité entre homos et hétéros n'a été assumée idéologiquement. Sur ce plan, la fin du XXe siècle représente un progrès immense. Il a fallu malheureusement pour cela que nous soyons confrontés aux ravages du sida. Cette maladie, les historiens la décriront plus tard comme le déclencheur d'une prise de conscience. Car elle a permis la naissance d'une certaine empathie vis-à-vis des homosexuels. Je connais le cas de familles homophobes qui sont restées jusqu'au bout arc-boutées sur leur conformisme, malgré la mort prochaine de leur enfant. D'autres, tout en conservant leurs préjugés, ont su entourer leur enfant malade de beaucoup d'affection et de compréhension. Petit à petit, le ton général a changé, et dans certains milieux l'homophobie est même devenue une faute de goût. Très révélatrice à cet égard, l'évolution de la Gay Pride. Depuis quelques années, elle attire plus de participants hétéros qu'homos. On s'y rend désormais en famille, avec la grand-mère et les enfants. Ce symbole de la lutte pour l'égalité des homos est devenu une sorte de grande fête populaire de la liberté.

L'ouverture d'esprit reste cependant limitée. L'exubérance des manifestations sous la bannière arc-en-ciel ne doit pas nous masquer le fait que, hormis dans certains milieux, l'identité homosexuelle continue à être vécue dans la souffrance. Dans les petites villes, et plus encore à la campagne, les homos sont condamnés à la clandestinité. Être homo, c'est être différent, minoritaire, « pas comme les autres ». Aujourd'hui encore, il existe de très nombreux homos qui doivent cacher à leur propre famille leurs véritables penchants, leurs amis, leurs amours. Ils sont en fait contraints de mener une double vie. Je connais des homos assumés, qui ont dit leur vérité depuis longtemps, et qui me confient tristement : « Mes parents m'aiment, mais, au fond, ils ont honte de moi. » Il ne faut pas sous-estimer le poids de ces préjugés : la tolérance seule ne tient pas lieu d'une réelle reconnaissance de l'altérité. Beaucoup de gens peuvent traiter les homos avec une vraie gentillesse et continuer de voir dans l'homosexualité une bizarrerie, une anomalie et au fond une infériorité. Si leur enfant est homo, ils se demandent qu'est-ce qui a « cloché » – dans sa biologie ou dans sa psychologie –, quitte à se tenir eux-mêmes pour responsables de ce qu'ils voient comme un ratage. Trop rares sont les familles où un enfant homo est considéré avec autant de fierté, sinon d'amour, que son frère ou sa sœur hétéros. Qui dira la douleur de ces enfants humiliés ?

Dans le discours homophobe circule l'idée selon laquelle l'homosexualité n'est pas une identité pleine et entière, mais seulement une pratique particulière. Quelque chose entre le caprice et la perversion. Cela revient à dire que les homosexuels pourraient, s'ils le voulaient, devenir des hétéros, qu'ils s'entêtent en quelque sorte dans le mauvais choix. Ces conceptions sont navrantes. C'est la nature qui nous fait homo ou hétéro. À l'origine, sans doute, tous les êtres sont plus ou moins bisexuels, mais chacun évolue naturellement vers l'une ou l'autre identité. Historiquement, la théorie selon laquelle il s'agit d'une déviance morale ou psychique a mené au pire : lobotomies, déportations... Tout cela parce qu'on n'a pas voulu admettre le caractère naturel, bien que minoritaire, de cette orientation affective et sexuelle. Aujourd'hui, quelque chose de ce soupçon persiste encore dans le débat sur l'homoparentalité. Comme s'il était contre nature que des homos aient des enfants. Et pourtant des homos procréent – oui, toujours cette part de bisexualité. Les célibataires de plus de vingt-huit ans peuvent légalement adopter un enfant. Mais ce droit est refusé aux couples – même pacsés – s'ils ne sont pas mariés. Les couples homos sont donc automatiquement exclus. Je partage la réaction des associations qui voient dans cette situation hypocrite la continuation de conceptions et de croyances stigmatisantes.

Lionel Jospin a raison lorsqu'il affirme qu'il faut parler du droit de l'enfant et non du droit à l'enfant. Mais commençons par observer l'état de leurs droits dans la situation actuelle : les crimes pédophiles, les violences physiques et morales infligées à des enfants sont-ils davantage le fait d'homosexuels que d'hétérosexuels ? La différence entre ces deux composantes de la société a-t-elle la moindre influence sur l'amour, l'intelligence, la générosité (parfois même le sens du sacrifice), indispensables à l'épanouissement du futur adulte ? C'est à l'aune de ces critères là que s'apprécient l'éducation et le bonheur des enfants biologiques de parents homosexuels.

Certes, on ne manque pas de nous le rappeler, tout être humain naît d'un acte sexuel entre une femme et un homme. Cela ne m'avait pas échappé. Sans parler de la procréation médicalement assistée puisque la nature a aussi quelques ratés. Et alors ?

Que je sache, les enfants adoptés n'ont pas été conçus par ceux qui les élèvent ! Le rejet ou la désespérance de leurs géniteurs sont même la cause de leur abandon.

La question est donc : ont-ils plus de chances d'exercer leur droit à la vie isolés dans leur orphelinat ou dans une famille qui les aimera et leur donnera – imparfaitement, comme dans toutes les familles – les meilleures perspectives d'avenir ?

Je me suis confronté moi-même à cette lourde interrogation.

À quarante ans, alors que ma vie devenait plus sereine, plus confortable moralement et matériellement, j'ai approfondi ce désir d'être père évoqué quinze ans plus tôt, lorsqu'une femme que j'admire et que j'aime avait souhaité que nous le concevions ensemble.

J'ai entamé la procédure de demande d'agrément pour adopter une fratrie. En effet, dès le début de ce processus, je voulais *des* enfants et, de préférence, une fille et un garçon. Pour qu'ils ne soient pas seuls. Et que la différence des sexes soit présente dans notre famille.

Parallèlement aux longs et nombreux échanges avec les psychologues et autres responsables de l'enquête, légitimement conduite par l'administration, j'ai plus que jamais sollicité l'avis, les commentaires, les réflexions, fussent-elles critiques, de mes proches. Tous ont consacré beaucoup de temps et d'attention pour m'accompagner dans ce passionnant travail sur l'essentiel. Mon homosexualité était le handicap majeur que je dressai moi-même sur la voie de ce projet. Je me suis tourné principalement vers mes amies, femmes et mères, afin qu'elles évaluent à la lumière de leur propre maternité le sérieux d'une telle perspective. Évelyne Schapira, Sabine Leclerc-Dorléac, notamment, m'ont appris en quelque sorte à être un futur père. D'autres, Catherine Depigny ou Patricia Gafsi, n'ayant pas – ou pas encore – d'enfants, ont enrichi mon cheminement de leur identité féminine.

Joëlle, ma sœur, et Étienne, son mari, parents exemplaires, dont la rigueur morale est toute de simplicité et de vérité, ont mêlé les précautions à prendre, pour les enfants et pour moi, à l'impatience enthousiaste d'accueillir leurs futurs neveux.

Le point de vue de mes amis qui avaient connu l'expérience de l'adoption m'importait particulièrement. Sylvie et Yves Lebas, parents d'Alexis, évoquaient surtout le sort de ces petits privés de l'amour parental. Je sollicitai de longues conversations avec Catherine et Jean-Marie Colombani – ce dernier est un catholique convaincu – dont la famille mêle harmonieusement enfants biologiques et enfants adoptés.

La sœur de mon père et Mme Chirinsky, toutes deux âgées de quatre-vingts ans à l'époque, m'exprimaient de manière maternelle leurs réserves. Elles craignaient un peu pour moi les effets de mes emballements idéalistes mais ajoutaient aussitôt qu'elles me faisaient confiance. Jamais je ne remercierai assez toutes ces personnes – je ne peux les citer toutes – de ce qu'elles m'ont donné pendant ces années : l'affection, la sincérité, l'exigence au service d'un choix de vie qu'elles ont fini par totalement partager avec moi. Nous avons tout passé en revue : la sensibilité, l'éducation, les attentes des enfants, les crises d'identité et d'adolescence, la recherche de leurs origines, leurs maladies, leurs études et même le rejet du père. Tout. Et ce que mes amis ont traité le plus vite, le plus simplement, sans partager mon angoisse, c'est mon homosexualité. Pour tous, sans exception, ce n'était pas la question, même si chacun comprenait que je me la pose avec autant d'intensité. Non, pour eux, c'était : es-tu prêt ? Es-tu responsable ? Prends-tu la mesure exacte de ce que sera ta nouvelle vie ? De ce à quoi tu devras renoncer ?

Dans cette lente maturation, je m'attachai à préparer

un environnement où seraient présents, dans le quotidien, des femmes et des hommes, nounou, marraines et parrains compris.

De ces préparatifs, je transmis la substance aux personnes chargées d'examiner ma demande. J'étais célibataire, je vivais seul et la question de mon orientation personnelle n'était jamais évoquée, ni par elles ni par moi.

Comme pour mes amis, l'essentiel était ailleurs. Mais sur ce sujet, jugé sans doute comme secondaire par ces professionnels remarquables, nous étions tous dans le non-dit. Car la loi nous y contraignait. Au bout de quelques années, je reçus, fou de joie, comme tous ceux qui ont vécu un tel événement, l'agrément pour devenir père d'une fratrie. Avec un chirurgien à la retraite, mon ami Claude Hertz, fondateur de la mission France de Médecins du monde, grand spécialiste de la lutte contre l'exclusion dans nos cités et par ailleurs responsable de la branche adoption de cette association, nous sommes passés à la recherche de mes enfants. C'est le moment le plus long et le plus éprouvant d'un tel projet : des pièges mercantiles à déjouer aux blocages administratifs en tout genre, tous les futurs parents adoptifs le vivent comme un douloureux parcours du combattant, bien éloigné de l'émotion et du sérieux qui l'ont précédé.

C'est aussi la période – et, là, le mot « hélas » me vient à l'esprit – où, au milieu des années 1990, je me suis fortement réinvesti dans la vie démocratique à Paris. De réunions tardives en énergie consacrée aux idées, j'ai commencé à m'inquiéter de la compatibilité de tous mes objectifs. Père célibataire, acteur engagé à fond dans la vie de la cité, être libre et épanoui :

il pouvait y avoir quelque illusion à prétendre tout réussir.

La lenteur et l'incertitude des démarches m'ont conduit à choisir. Un peu triste. Je ne serai jamais père. À cinquante-quatre ans, je tente de partager autrement. Et si l'on pense qu'il y a quelque relation entre ce fait et l'affectivité, souvent importante, que je mets dans l'exercice de mes fonctions, j'assume.

Je ne serai jamais père. Mais pas parce que je suis homosexuel. Par ce témoignage, je ne veux pas laisser penser que je considère comme facile l'évolution de la loi sur l'adoption par des couples homosexuels, que je crois tout à fait souhaitable. Certainement pas. J'aimerais juste que nous osions nous poser les questions précisément les plus difficiles. Avec respect pour chacun, quelle que soit sa singularité. En recherchant toutes les précautions légitimes. Et, surtout, en fonction du seul intérêt de l'enfant. Pas de celui qui a une famille. Mais de celui qui est condamné à l'abandon.

Tu vois, cher Lionel, toi qui en fais à juste titre un enjeu moral, c'est bien au nom du droit de l'enfant que je cherche la réponse.

Dans le monde politique, nous assistons trop souvent à un festival de tartufferie. La plupart des candidats à chaque élection font dans la presse gay de grandes déclarations en faveur de l'égalité des droits. Une fois parvenus au pouvoir, beaucoup reprennent leur bonne vieille rengaine homophobe – désormais exprimée plus prudemment car les temps changent et les homos sont des électeurs. Pendant la campagne pour la présidentielle de 2002, Chirac s'est formellement engagé, dans une interview au journal *Têtu*, à proposer une loi contre l'homophobie. Dans les faits, le gouvernement continue pourtant de traîner les pieds ! Depuis la loi contre les discriminations au travail votée sous le gouvernement Jospin en janvier 2002, qui déclare illégales les discriminations à caractère homophobe, sexiste et raciste, aucune avancée n'a été faite. Les associations n'ont toujours pas le droit de se porter partie civile, comme elles le font dans le cas des crimes racistes et antisémites. Pourtant, l'homophobie frappe parfois très fort. Personne n'a oublié le crime ignoble dont a été victime Sébastien Nouchet, harcelé pendant des mois puis brûlé vif devant sa maison. Dans de nombreux pays étrangers, les homosexuels sont persécutés, jugés, condamnés à mort. Il serait urgent que de telles pratiques s'inscrivent parmi les critères qui permettent aux victimes d'exactions de bénéficier du droit d'asile.

Quand, en novembre 1998, j'ai accordé une interview à « Zone interdite », une émission de la chaîne M6, au cours de laquelle j'ai révélé publiquement mon homosexualité, je m'attendais à provoquer beaucoup moins de remous en France qu'en Tunisie, où j'avais pris l'habitude depuis une quinzaine d'années de faire de longs séjours. Je supposais que mes amis tunisiens réagiraient avec malaise non pas au fait – que je ne leur ai jamais occulté –, mais à sa divulgation sur la place publique. En fait, je me trompais. C'est de Tunisie que j'ai reçu les messages les plus solidaires et les plus amicaux, envoyés y compris par des musulmans orthodoxes. Comme s'ils avaient eu besoin eux aussi qu'une parole libérée, mesurée, équilibrée soit tenue là où règnent le non-dit et le conformisme d'un discours traditionnel. C'est en France, paradoxalement, que j'ai observé les réactions les plus effarouchées, parfois même de la part d'hommes publics homosexuels non déclarés – qui n'ont pas hésité à condamner ma démarche au nom, bien sûr..., du respect de la vie privée.

La majorité des citoyens, y compris souvent de bonne foi, ne comprend pas toujours l'enjeu de cette visibilité. Ils ne sont pas conscients de l'existence d'une injustice à l'égard d'une partie de la population. En arrivant à la mairie de Paris, je me suis aperçu par exemple que les personnels pacsés – hétéros et homos – ne pouvaient bénéficier de certaines prestations de la Ville attribuées aux couples mariés : demandes de congés, mais aussi autorisations d'absences et secours administratif exceptionnel lors du décès du conjoint. Nous avons donc rétabli l'égalité des droits.

Nous avons également mis fin à une discrimination en accordant des subventions à certaines associations homosexuelles, sur les mêmes critères que les autres : elles étaient les seules du monde associatif à n'en avoir jamais reçu jusqu'alors.

Preuve de cette myopie particulière du monde politique, un passage du livre de Nicolas Sarkozy, *Libre** : « Quelle mouche a bien pu piquer Bertrand Delanoë de vouloir à tout prix révéler son homosexualité au motif de sa candidature à la mairie de Paris ? » Cette première erreur énoncée avec aplomb – j'y reviendrai –, Nicolas Sarkozy poursuit : « En quoi cet élément privé se révélera-t-il déterminant pour juger de la capacité de M. Delanoë à devenir un bon maire ? Dois-je, à mon tour, confesser mon hétérosexualité pour être considéré ? Tout cela me paraît déplacé, hors sujet, dangereux, et en tout état de cause inutile. Cet aveu public sonne comme une expiation mauvaise, il

* Robert Laffont/XO Éditions, 2001.

justifie de surcroît toutes les violations ultérieures de la vie privée. Puisque certains avouent si spontanément, alors pourquoi se gêner avec les autres sur qui la pression sera d'autant plus forte ? »

Je suis frappé par la violence involontaire qui émane du choix des termes : « dangereux », « expiation mauvaise », « aveu », « violations », « pression »... Ces quelques lignes résument tous les poncifs et toutes les idées fausses qui circulent sur la question. D'abord l'accusation de faire étalage de ma vie privée. L'émission de M6 a-t-elle été suivie d'autres divulgations ? Me suis-je affiché dans la presse *people* avec un compagnon ? Je suis en réalité d'une grande pudeur dès qu'il s'agit de ma vie personnelle. Peut-on en dire autant de Nicolas Sarkozy ? Depuis la parution de son livre, le public a largement pu faire connaissance avec la sienne. Comment interpréter cette étonnante formulation : « dois-je confesser mon hétérosexualité » ? Nicolas Sarkozy, vous passez votre temps non à « confesser », mais à afficher votre hétérosexualité – nul ne peut vous en contester le droit – au long des multiples reportages sur votre vie familiale complaisamment exposée aux médias.

Toutes les transparences ne se réduisent pas à de pures et simples opérations de marketing politique. L'évocation publique de mon homosexualité n'a jamais constitué à mes yeux un élément de stratégie pour conquérir la mairie de Paris. De ce point de vue, n'aurais-je pas eu plutôt intérêt à la taire ? C'était en tout cas clairement mon sentiment au moment où j'ai pris cette décision. Jusqu'alors, aucune personnalité politique de premier plan – excepté André Labarrère – n'avait assumé ouvertement son homosexualité. La vérité, c'est qu'une équipe de M6, qui préparait un sujet sur la visibilité sociale des homosexuels, a sollicité le sénateur que j'étais. Nous étions alors en plein débat sur le pacs, dont j'étais un ardent défenseur. J'ai ressenti un réel embarras : je vivais très bien mon identité sans l'avoir jamais ni brandie ni dissimulée. Aux élections municipales de 1995, déjà, certains à droite s'en étaient servis durant la campagne – sans recueillir le résultat escompté : nous avions fait un excellent score. Le fait était donc largement connu à la fois dans les milieux politiques, journalistiques et, dans une moindre mesure, parmi les électeurs parisiens. Pourquoi le proclamer ? Pourquoi prendre le risque de heurter certaines sensibilités par une déclaration publique, par ce qu'on appelle aujourd'hui un *coming-out* ? S'en tenir au flou aurait été assurément une option plus confortable pour le candidat potentiel que j'étais.

Mon entourage était très partagé. J'ai énormément hésité, avant et après l'enregistrement de l'interview. J'avais jusqu'à quelques jours de la diffusion pour donner ma réponse définitive. Mais pouvais-je reculer sans éprouver un sentiment de lâcheté à mes propres yeux ? Que faisais-je de ma liberté, de mon combat pour un respect égal de toutes les identités ? Et de quoi aurais-je privé l'homo isolé au fond de la Lozère ou de l'Oise ? Mon intervention – ma « confession », dirait M. Sarkozy – n'aurait-elle pas contribué à libérer un tant soit peu ces personnes condamnées à porter un si lourd secret ?

C'est un ami hétéro, Yves Lebas, qui m'a donné, comme souvent, la clé : « Bertrand, tu n'as jamais regretté d'avoir défendu tes convictions », m'a-t-il rappelé. Je m'en suis tenu à ce principe. Peu importe ce que cela pouvait me coûter en termes électoraux, je devais accepter ce moment difficile, douloureux, même, dans un combat qui me tenait à cœur. Je me souviens précisément de ce que j'ai dit à Philippe Pécoul, le journaliste chargé du projet : « Je suis tenté de dire non, mais je le vivrais comme une dérobade. Voici donc mes conditions : sur vingt minutes d'interview, je vous en donne deux pour dire "je suis homo", et vous me laissez tout le reste pour exposer comment, de mon point de vue, il faut défendre la liberté de chacun. » J'ai donc pu expliquer que le devoir de solidarité envers les homos m'avait poussé à mettre entre parenthèses le droit à l'indifférence que je revendique dans ma vie privée. J'ai pu parler de la liberté de la femme, du droit à l'avortement. Mon intervention se terminait par cette conclusion : « Je n'ai qu'un souhait, c'est que tout le monde s'en fiche. »

Avec le recul, et en dépit de quelques controverses, il me semble que je suis exaucé. Le plus grand nombre me juge sur mon rôle et mes réalisations de maire : les crèches, les voies d'autobus, la démocratie locale, le logement ou Paris-Plage. L'émission de M6 m'a permis de banaliser une réalité difficile tout en l'assumant pleinement.

Je n'approuve l'analyse de Nicolas Sarkozy que quand il évoque la pression exercée sur ceux qui choisissent de se taire. En 2000, un élu UMP a été « outé » malgré lui. Jean-Luc Romero, pour qui j'ai de l'amitié, élu régional UMP, ex-RPR, a vu son homosexualité révélée par un journal, contre sa volonté. C'était sa liberté de décider s'il devait ou non l'exprimer publiquement et elle a été bafouée. J'ai condamné de la même façon le chantage d'une association menaçant d'*outing* un député de droite qui avait manifesté contre le pacs. Autour de lui, il est vrai, fusaient des slogans d'une brutalité inouïe (« Les pédés au bûcher »)... Mais rien ne peut justifier que soit violé le libre choix d'un individu.

Une partie des homosexuels se radicalise aujourd'hui et se laisse tenter par le communautarisme gay. Comme toutes les minorités brimées, celle-ci se replie elle aussi dans une mentalité de ghetto. Je suis contre tous les ghettos et tous les communautarismes. C'est pour moi un choix idéologique et un choix de vie. Si je devais vivre dans un monde exclusivement homo, je crois que je mourrais d'ennui. Je serais très malheureux si j'étais obligé de cohabiter avec la discrimination, quelle qu'elle soit. Je connais trop bien les richesses de la société et je les veux toutes. C'est pourquoi je n'ai jamais été un assidu des quartiers gays, trop ghettoïsés à mon goût. À l'époque où j'habitais rue de Turenne, en 1990, il a fallu que des amis me fassent remarquer que le quartier gay était tout proche. Je ne m'en étais pas spontanément aperçu parce que mes goûts me portent vers la diversité et non vers l'uniformité.

Mais il faut comprendre les besoins des homos : minoritaires et souvent moqués, comment peuvent-ils se rencontrer ? Quels sont les lieux où ils peuvent trouver un partenaire qui ne les rejettera pas d'emblée ? S'ils passent tout leur temps en compagnie des hétéros, quelle chance ont-ils de vivre une histoire d'amour ou tout simplement de plaisir ? Une fois en couple, comment peuvent-ils s'assurer qu'ils seront accueillis sans ostracisme ? Qu'on ne leur refusera pas une chambre d'hôtel ou qu'on ne les regardera pas de travers dans un restaurant ? Mon rôle de responsable public est de faire reculer toutes les entraves à la liberté et à l'égalité. C'est la meilleure arme contre le communautarisme.

C'est pourquoi je me suis prononcé en faveur du mariage entre deux personnes du même sexe. C'est vrai, cette revendication m'a surpris. La lutte contre les propos et les actes homophobes m'a paru – et me paraît encore – plus urgente. Tout en éprouvant le plus grand respect pour l'institution du mariage – j'officie avec plaisir pour des couples qui me sont chers –, je constate également une évolution des structures familiales qui voit s'épanouir bien des cellules affectives parents-enfants hors de ce cadre.

Mais au nom de quoi rejeter cette demande d'égalité ? Deux personnes s'aiment, veulent l'affirmer publiquement et le faire reconnaître par la société. Il n'y a aucune raison de le leur refuser. Rappelons aux détracteurs de cette proposition que rien, dans le mariage tel qu'il existe, ne contraint les époux à procréer et qu'inversement la procréation biologique n'est pas soumise à l'obligation du mariage. Donc, dépassionnons. Et relativisons, en remettant les enjeux à leur vraie place.

De tous les droits de l'homme, le premier est la liberté. À la base de l'être civilisé, il y a sa liberté de conscience, de vie, de contact, de curiosité, d'apprentissage, de respiration, de plaisir... Il m'est impossible d'admettre l'idée selon laquelle il faudrait parfois la sacrifier à d'autres impératifs, comme la révolution ou la justice sociale. Ce genre de raisonnement a servi de légitimation aux régimes communistes. Moyennant quoi, ils n'ont eu ni la démocratie ni la justice.

La liberté est bien le plus grand des droits de l'individu, et la condition de tous les autres. Comment peut-on, par exemple, éradiquer les discriminations – qu'elles découlent de l'ethnie, de la religion, du sexe, de l'identité – si l'on ne reconnaît au préalable à chacun le droit total, plein, entier, intangible, d'être qui il est et comme il est ? Dans la vie personnelle comme dans la vie collective, il n'y a rien de plus sacré.

C'est pourquoi je réagis avec colère quand l'être profond des personnes est traité avec mépris. J'abhorre l'islamophobie comme l'antisémitisme. Le sexisme et l'homophobie me révulsent également. Dès qu'une identité se déclare supérieure à une autre, l'exclusion se profile à l'horizon, et avec elle la haine, l'affrontement, la souffrance.

J'ai la chance d'appartenir à une génération qui a goûté à l'ivresse de la liberté à l'âge où nous en rêvons le plus – au sortir de l'adolescence. Je suis un enfant de Mai 68. Quand le mouvement a éclaté au milieu de la morosité française, j'allais avoir dix-huit ans – je les ai eus fin mai. J'étais en terminale dans une école catholique de Rodez, l'institution Sainte-Marie, très traditionaliste. J'avais été élu délégué de classe. Avec mes camarades nous allions discuter avec les parents d'élèves, plutôt conservateurs, comme l'était ma mère, pour leur expliquer nos positions et tenter d'obtenir leur soutien. Nous faisions le tour des écoles catholiques de l'Aveyron en les incitant à se mettre en grève. J'ai convaincu mes camarades que nous ne pouvions rester à l'écart des lycées publics. Nous sommes donc allés trouver les copains du public, nous avons fait la jonction avec eux et à partir de ce moment nous avons manifesté ensemble. Dans cette grande vague qui balayait les tabous, les archaïsmes, les préjugés de l'ordre établi, j'étais comme un poisson dans l'eau. Je me sentais au diapason d'un mouvement puissant et joyeux qui était d'abord et avant tout un formidable appel d'air frais et de liberté. À tel point que certains animateurs du mouvement lycéen me disaient : « Mais alors, tu es un gauchiste comme nous. » Je me souviens que je leur répondais : « Pas du tout, je ne suis pas pour la révolution. – Mais tu es très radical et critique, insistaient-ils. – Non, je suis social-démocrate ! »

Mes camarades du public, eux, étaient en plein dans le grand trip révolutionnaire qui a marqué cette époque. En caricaturant un peu, je dirai que leur idéal politique, c'étaient les soviets. « La liberté en plus ! » s'empressaient-il d'ajouter. J'étais plus circonspect. Le régime soviétique était déjà suffisamment connu. Je trouvais le radicalisme de mes copains gauchistes impraticable. Je leur demandais : « Mais comment faites-vous concrètement, dans votre société soviétique mais libre, pour ne pas écraser ceux qui ne pensent pas comme vous ? » Je n'étais pas prêt à sacrifier la liberté de conviction de qui que ce soit sur l'autel du progrès social. Je pensais qu'il fallait changer les choses progressivement, en commençant par une nouvelle majorité à l'Assemblée nationale. Ils trouvaient que, dès qu'on parlait de politique, j'avais des raisonnements de vieux. Ce qui explique d'ailleurs que ma mère ne se soit guère alarmée en me voyant m'investir à fond dans le mouvement.

Sur un point, j'étais aussi révolté que les gauchos : j'étais contre ce que j'appelais la ringardise générale. Nous étions presque des adultes, et pourtant à l'école, dans les familles, dans la société, nous étions traités comme des gamins. L'enseignement consistait à nous asséner des connaissances sans l'ombre d'un débat, même si certains professeurs essayaient d'établir un dialogue. Cette éducation anachronique avait des bons côtés, elle m'a inculqué le sens de l'effort et de la discipline ; mais elle ne laissait aucune place à l'initiative individuelle et à la créativité. Une guéguerre, aussi violente qu'inepte à mes yeux, opposait l'école publique et l'école privée. Une hostilité profonde séparait deux camps, deux points de vue sur le monde. Nous, les jeunes, nous allions là où nos parents nous inscrivaient. Mais nous trouvions ces querelles grotesques et nous nous fréquentions sans en tenir compte. La société tout entière respirait le conformisme et l'ordre moral. L'air du temps pesait des tonnes. Un drame surviendra un peu plus tard, à l'automne 1969, très révélateur des valeurs dominantes de cette époque, l'affaire Gabrielle Russier, dont fut plus tard tiré le film *Mourir d'aimer*, d'André Cayatte. Cette jeune divorcée de trente-deux ans, professeur de lettres à Marseille, avait eu une liaison avec un lycéen de dix-sept ans. Condamnée pour détournement de mineur, elle a été jetée en prison et a fini par se suicider. Seul le nouveau président élu, Georges Pompidou, fait alors exception dans un océan de moralisme, en citant, de façon pourtant bien sibylline, un texte d'Eluard : « Comprenne qui voudra, moi mon remords ce fut la victime raisonnable au regard d'enfant perdu, celle qui ressemble aux morts qui sont morts pour être aimés. » Eluard avait écrit ces mots pour les femmes qui avaient eu la tête rasée pendant l'épuration. Le président Pompidou avait paru très sensible à cette tragédie. Pour tous les autres, claquemurés dans leurs certitudes, l'amour était un péché qui méritait châtiment.

Les années qui ont suivi Mai 68 ont été le théâtre

d'une vraie libération des mœurs. Les jeunes qui avaient participé au mouvement, et particulièrement les filles, ont refusé de se plier aux sacro-saintes règles de bienséance et à la crainte du qu'en-dira-t-on. Nos modes de vie ont vraiment changé, générant une cassure entre les « jeunes » et les « vieux », les libertaires et les conformistes. C'est dans cette atmosphère que les combats féministes décisifs ont été menés. Je me souviens du choc suscité par la publication dans *Le Nouvel Observateur* du « Manifeste des 343 salopes », un texte très court qui comportait cette phrase courageuse : « Je déclare avoir avorté. » Depuis la loi de 1920, l'avortement était un crime puni par la loi.

Quand j'ai rencontré Yvette Roudy, en 1973, elle n'a eu aucun mal à m'inculquer le virus du féminisme. Jeune secrétaire fédéral, je venais à Paris suivre des formations, des stages courts où les responsables du parti animaient des conférences sur toutes sortes de sujets. C'était Yvette qui dirigeait les formations. Au PS, elle avait aussi une autre casquette : elle jouait le rôle de « conscience féministe » auprès de Mitterrand. Elle avait traduit de l'anglais de grands classiques, comme les ouvrages de Betty Friedan. Dans un parti qui était encore passablement misogyne, elle essayait de sensibiliser aux droits de la femme les militants, majoritairement hommes, qui suivaient les formations. Nous avons tout de suite sympathisé et je suis devenu, à vingt-trois ans, membre de la commission féministe du PS dont elle s'occupait. Seul homme de cette commission, je me suis beaucoup investi dans la cause des femmes car elle me touchait en profondeur, à la fois intuitivement et idéologiquement. Sans me le formuler clairement, elle entrait en résonance avec ma propre quête de liberté. Chaque fois qu'une partie de la population – majoritaire dans le cas des femmes ou minoritaire dans le cas des homos – est plus libre, c'est l'ensemble de la population qui accède à plus de liberté. Il y a trente ans, Yvette Roudy a été celle qui a le plus fait évoluer la gauche sur cette question, elle en reste à mes yeux la figure emblématique.

Au début des années 1970, le féminisme était *le* grand combat. Certes, les plus voyants des archaïsmes avaient été balayés. En 1944, les femmes avaient obtenu le droit de vote – oui, en 1944 ! – et en 1965 le droit de travailler sans l'autorisation de leur mari – en 1965 ! Mais à quoi servait d'inscrire l'égalité entre les sexes dans la Constitution si, dans la réalité de la vie, on ne donnait pas aux femmes la même liberté qu'aux hommes ? Il m'apparaissait d'évidence que l'égalité passait par un certain nombre de libertés fondamentales dont elles étaient privées : liberté de disposer de son corps, de disjoindre la sexualité du mariage et de la procréation. L'égalité dans la formation ou dans le monde du travail – en termes de salaires et d'accès aux postes élevés – et même au sein du couple ne pouvait être établie tant que n'était pas reconnu l'absolu droit de la femme à exercer son libre arbitre. C'est pourquoi je suis un fervent admirateur de Simone Veil, ministre de la Santé de Giscard, qui a remporté en 1974, contre une partie de son propre camp, l'immense victoire de la loi sur l'IVG. La droite, majoritaire à l'Assemblée, n'en voulait pas, et le Premier ministre Chirac était plutôt tiède. C'est grâce aux voix de la gauche que la loi Veil est passée.

Les empiètements, les abus de pouvoir, les dominations brutales ou sournoises m'ont toujours hérissé. Depuis mon enfance, j'ai toujours cherché à être libre.

À quinze ans, je ne voulais pas que mes parents prennent des décisions à ma place. Mon féminisme découle de cette source-là. Je suis saisi par une incompréhension abyssale quant aux origines du sexisme. Comment, pendant des millénaires, la moitié de l'humanité a-t-elle pu être exclue d'une part de la dignité humaine ? Pourquoi ne s'est-il trouvé aucune civilisation pour donner une place égale aux femmes ? C'est une énigme pour moi. Bien sûr, on connaît le rôle joué par la force physique dans le développement humain, le poids de la maternité sur l'autonomie et l'influence souvent négative des considérations religieuses sur le statut des femmes. Mais ce déséquilibre de l'histoire anthropologique me laisse pantois.

L'humanité est moins stupide depuis qu'elle a pris conscience de cette iniquité. C'est un des grands progrès à mettre à l'actif du XXe siècle, même s'il reste beaucoup à faire pour parvenir à l'égalité réelle. Il n'y a pas si longtemps, les conceptions traditionnelles sur le partage des rôles prédominaient, y compris dans nos pays. Ma mère me racontait que sa décision de faire des études d'infirmière avait suscité un véritable scandale au sein de sa famille bourgeoise. C'étaient les années 1930, ses sœurs faisaient du violon ou quelques études décoratives. Infirmière, quelle dégradation ! Son propre père, qui était un homme intelligent, l'a soutenue contre tout le reste de la famille. Ma mère n'avait pourtant rien d'une révolutionnaire. Elle ne cherchait pas à renverser le système social. Elle voulait juste s'assurer les moyens de son autonomie, au cas où elle en aurait eu besoin. Elle a tenu bon et a obtenu son diplôme d'État. Elle était suffisamment maîtresse d'elle-même pour épouser le mari de son choix et, vingt-cinq ans plus tard, pour gérer financièrement sa séparation. D'autres n'ont pas eu cette liberté. Dans mon enfance, c'est-à-dire dans les années 1950, j'entendais encore parler de mariages arrangés !

Il faut donc dire merci aux grands esprits qui ont mis fin à cette discrimination. Merci aux Simone de Beauvoir, Simone Veil, Yvette Roudy, Élisabeth Badinter, Gisèle Halimi, Sylviane Agacinski, Antoinette Fouques, même s'il y eut des désaccords entre elles. C'est une conquête quasi légendaire d'avoir réussi à renverser la tendance historique à la soumission des femmes. Il a fallu l'arracher de haute lutte, et aujourd'hui il faut encore l'imposer parfois à des hommes qui la considèrent comme une perte d'influence pour eux. L'égalité profite aussi aux hommes, elle renforce leur propre liberté. Un mari qui n'écrase pas sa femme est un homme plus libre. C'était un secret que les hommes ne pouvaient connaître pendant les millénaires de l'histoire sexiste. Les luttes féministes leur permettent enfin d'en prendre conscience. Nous sommes une génération très gâtée. Nous, les hommes, nous sommes devenus plus intelligents grâce à ces progrès.

Les lois Aubry sur la réduction du temps de travail ont permis à de nombreuses femmes de mieux concilier leurs tâches familiales et les nécessités du travail. Mais la route est encore longue. Malgré la loi Roudy de 1983 sur l'égalité professionnelle, les femmes continuent à gagner en moyenne 25 % de moins que les hommes et constituent l'écrasante majorité (80 % !) des smicards. En politique, l'égalité des sexes est encore un vœu pieux. Nous, la gauche, auteurs de la loi sur la parité, nous avons réussi aux élections législatives de 2002 à faire royalement élire vingt-trois femmes, soit 16,42 % de nos élus, et ce pourcentage est en baisse par rapport à la précédente législature ! Il est vrai qu'à droite elles ne sont que 10,29 %. Ces chiffres sont consternants, et il faudra sans doute recourir à des sanctions financières plus dures pour contraindre les partis politiques à respecter la parité. Pour ma part, je l'ai appliquée scrupuleusement, et même au-delà : l'exécutif compte 33 adjoints, dont 18 femmes et 15 hommes. Après tout, 53 % des Parisiens sont... des Parisiennes. Ma première adjointe, Anne Hidalgo, a dans ses attributions la délégation à l'égalité homme-femme. Elle craignait que ce ne soit un rôle réducteur. Je lui ai expliqué qu'au contraire, comme numéro deux de l'exécutif, c'était elle qui aurait le plus d'autorité pour faire respecter dans tous les secteurs le principe d'égalité entre les sexes. De fait, elle veille très fermement à ce que tous les gestionnaires de la vie municipale inscrivent cette préoccupation dans leurs tâches. Le même principe a été respecté pour les directions de la Ville, sans cantonner les femmes aux domaines sociaux qui leur sont traditionnellement dévolus. Le budget, par exemple, a été confié à une jeune directrice qui réussit brillamment. L'urbanisme est également dirigé par une femme. Il nous a fallu moins d'un an pour réaliser ces changements. L'administration municipale ne s'en porte que mieux. J'ai plaisir à réunir tous les directeurs – 21 au total, 11 femmes et 10 hommes – et à constater à quel point le respect de la diversité change totalement la donne. Nous parlons de petite enfance, de sport, de culture, de propreté, et, incontestablement, la mixité de cette équipe de direction l'enrichit considérablement en termes de représentation, d'appréhension et d'expression des besoins de la société.

Tous les hommes, malheureusement, ne perçoivent pas de la même manière les bienfaits de l'égalité entre les sexes. En arrivant à l'Hôtel de Ville, j'ai découvert avec stupéfaction l'ampleur des violences conjugales. C'est atterrant. Aujourd'hui, à Paris, une femme sur dix vivant en couple et âgée de vingt à cinquante-neuf ans a subi des violences de la part de son compagnon au cours des douze derniers mois. Entre décembre 2000 et décembre 2001, la préfecture de police a enregistré quatre mille de ces faits, et 60 % des appels à police secours concernent ce type de violence ! Il y a un chiffre encore plus insoutenable : en France, tous les cinq jours, une femme meurt des suites de violences conjugales.

Aider les victimes avant qu'il ne soit trop tard : nous avons créé un numéro vert destiné à l'information sur la sexualité, la contraception, mais aussi les violences. Nous avons également décidé de subventionner – c'est inédit à Paris – les associations dédiées à cette cause, qui proposent un hébergement ainsi qu'une assistance juridique et psychologique. Nous avons acheté un immeuble dans le XVe arrondissement pour y installer un centre exclusivement consacré à l'accueil des femmes et de leurs enfants. Il sera géré par une association qui aura pour mission d'aider ces personnes à retrouver leur autonomie. Que nous soyons obligés, après tant de luttes, de mettre en œuvre ce genre de solution me révolte. D'autant qu'avec les femmes les enfants souffrent aussi, car un mari violent est souvent un père violent. Carole Bouquet, qui parraine l'association la Voix de l'enfant, m'avait sensibilisé à ce drame. « Vous ne soupçonnez pas leur nombre, m'avait-elle dit, et pas seulement dans les milieux défavorisés. Il y a beaucoup d'enfants martyrs dans les beaux quartiers. » Contrairement à une idée reçue, en effet, la maltraitance n'est pas circonscrite aux milieux défavorisés. Elle prend des formes diverses, de l'abandon de fait aux sévices sexuels en passant par les violences physiques. Elle illustre en tout cas une réalité cruelle qui lentement, trop lentement, échappe au statut de « tabou » dans lequel notre société l'a cantonnée jusqu'à présent.

Dans une moindre mesure, la remarque s'applique aussi à la situation des jeunes filles dans certaines cités. Interdites d'amour ou considérées comme des « traînées », contrôlées par leurs frères bien plus que par le père – souvent plus modéré –, elles vivent en ce début de XXIe siècle une régression intolérable, l'abjection atteignant des sommets dans le phénomène des tournantes.

Petite lueur dans tant de noirceur, la naissance de l'association Ni putes ni soumises créée en réaction à l'atroce mort de Souhane, cette jeune fille brûlée vive par un garçon du quartier Balzac, à Vitry. Je venais d'être agressé par un déséquilibré qui avait déclaré aux policiers qu'il n'aimait « ni les hommes politiques ni les homos » et j'étais en convalescence à Biarritz. L'histoire de Souhane m'a profondément bouleversé, et j'ai songé que j'avais eu de la chance, beaucoup plus de chance qu'elle, face à la haine et à l'exclusion. Mon médecin, une jeune Tunisienne, ma « petite sœur » Patricia Gafsi, était intimement révoltée contre le sort fait à Souhane. Elle me disait : « Qui aurait cru que des jeunes femmes en France seraient moins libres aujourd'hui que je ne l'étais à leur âge, avec mon père et mes frères, dans la Tunisie des années 1970-1980 ?

Je ne courais pas le risque d'être violée ni brûlée par les garçons du voisinage. Je n'avais pas besoin, moi, de dire "ni pute ni soumise" ! »

La Ville de Paris soutient cette association. La responsable, Fadela Amara, m'explique que souvent des jeunes filles terrifiées débarquent avec leurs balluchons en disant : « Je ne peux plus rester là-bas. » J'ai beaucoup d'affection pour ces jeunes femmes qui ont envie d'être libres, belles, d'agir dans le monde. Elles ont réalisé un livre avec le photographe Jean-Marie Marion*. Des femmes – célèbres ou anonymes – rencontrées par l'association à l'occasion de leur combat ont posé nues, à visage découvert, avec pour seul accessoire un pull qu'elles utilisent selon leur choix. Ces photos, toutes en noir et blanc, sont sublimes. C'est un acte militant par lequel elles disent : « Notre corps est beau, il n'est pas un instrument de dégradation. S'il se donne à voir dans sa nudité, c'est parce que nous voulons partager cette beauté. »

Fadela Amara m'a également révélé que dans ces quartiers dévastés de nos périphéries ce ne sont pas seulement les femmes qui souffrent. Il y règne une homophobie terrible, caractérisée par des violences, physiques et sexuelles, qui vont parfois jusqu'à des pratiques barbares de destruction des êtres. Son association veut également agir sur ce front-là. La haine des femmes et celle des homos se donnent la main partout où les valeurs du droit trébuchent. Si l'on ne prend garde à cet enjeu philosophique, sociétal, urbain

* Jean-Marie Marion, *L... Portraits de femmes*, Paris-Musées, Paris, 2003.

d'une extrême gravité, c'est notre société tout entière qui s'en trouvera ébranlée.

La régression n'est pas une fatalité. Il existe des pays où l'inégalité est inscrite dans la loi et où des individualités formidables réussissent à arracher, pied à pied, des progrès pour les femmes. Shirine Ebadi, iranienne, avocate, est à mes yeux un soleil d'espoir.

Je ne la connaissais pas avant qu'elle obtienne le prix Nobel de la paix en 2003 ; je puise aujourd'hui un véritable réconfort dans son optimisme. Et, pourtant, quel sombre tableau que l'Iran !

Cette femme, la première à exercer les fonctions de juge, avait dû quitter son poste dès l'arrivée des ayatollahs au pouvoir : les femmes sont trop « émotives », avaient décrété ces derniers, pour qu'on les laisse occuper ce genre de fonction ! Devenue professeur de droit et avocate, elle n'hésitait pas à défendre les victimes des exactions commanditées par les mollahs. En même temps, elle se battait pour les droits des femmes et des enfants. Menacée de mort, jetée en prison, elle n'a cessé de lutter pour obtenir la réforme de lois iniques : les femmes, en Iran, courent toujours le risque d'être fouettées, voire lapidées, pour « mauvaise conduite ». Elles ont beaucoup moins de droits que leurs maris pour tout ce qui concerne le mariage, le divorce, la garde des enfants, l'héritage, etc. Vingt ans de combats menés par Shirine et ses amis ont fini par payer : le Parlement a accordé aux femmes divorcées un droit de garde des enfants, jugé au cas par cas. Jusque-là, la garde était automatiquement confiée aux pères. Un progrès limité, mais un progrès.

Shirine Ebadi est une héroïne du XXIe siècle. Cette femme rejette toute violence. Il émane d'elle une douceur et une grâce irrésistibles. Mais cette sérénité n'enlève rien à une force de caractère que l'on devine exceptionnelle. Mme Ebadi a joué un rôle crucial, à travers le vote des Iraniennes dont elle est l'idole, dans l'élection du président progressiste Khatami qui avait apporté un réel assouplissement du contrôle social avant de nouvelles désillusions. Elle proclame avec force et sincérité son refus de toute candidature politique pour elle-même. Et pourtant, par sa présence et son action, elle crée un rapport de forces dans la société iranienne. Contre l'obscurantisme et l'oppression, une petite femme à la voix douce et à la volonté d'acier. Pour l'idée que je me fais de la politique, j'aimerais bien que Shirine Ebadi change d'avis.

5

Pas à pas

Après la grande exaltation de Mai 68, je me suis retrouvé orphelin d'une cause à défendre. Inscrit en fac d'économie à Toulouse, je ne trouvais rien qui suscite mon adhésion, ni les études que j'entreprenais – je souhaitais faire Sciences-Po à Paris, choix contrarié par mes parents – ni la politique vue par les étudiants activistes de l'époque. Je me serais volontiers investi dans un mouvement qui aurait visé un objectif accessible dans un horizon prévisible. Mais, à gauche, le terrain était entièrement occupé par les maoïstes et les trotskistes qui nous proposaient la perspective lointaine de la révolution. Pas plus qu'en 1968 je n'avais envie de rêver aux lendemains qui chantent – au prix d'un présent qui coince.

Je continuais à lire *Le Monde*, à suivre avec beaucoup d'intérêt la vie politique, espérant trouver de quoi m'investir. Le PSU, qui avait été créé en 1960 par la fusion de chrétiens de gauche, de socialistes et de communistes dissidents, m'attirait par sa fraîcheur, mais j'avais l'impression qu'il n'avait aucune prise sur la réalité. Les déclarations de Mitterrand me paraissaient plus intéressantes. Mais, quand je lisais les articles qui rendaient compte de ces nombreux congrès de la convention par lesquels il essayait, à l'époque, de fédérer différents courants minoritaires de la gauche, j'avais l'impression qu'on parlait d'un groupuscule de mondains plus occupés à se pavaner au volant de leurs belles voitures qu'à prendre à bras le corps un pays qui sortait tout de même de l'électrochoc de Mai 68. Ma sensibilité aurait été plus en accord avec les sociaux-démocrates de la SFIO. Mais je les trouvais vieillots et ineptes avec leurs divisions. Surtout, ils portaient le péché du colonialisme, et cela suffisait à me refroidir.

Mai 68 avait pris de court les partis de gauche et ceux-ci continuaient à s'en méfier. En fait, ils tenaient le mouvement des étudiants pour responsable du raz-de-marée électoral qui avait considérablement renforcé la droite aux élections législatives de juin 1968 puis à la présidentielle de 1969. Moyennant quoi, ils faisaient comme si rien d'important ne s'était passé. Je suis donc resté à l'écart de l'activité politique, soignant comme je pouvais ma frustration par l'admiration quelque peu abstraite que je continuais de vouer à Daniel Mayer. En 1971 un événement, qui ressemblait pourtant à une énième péripétie de cuisine politicienne, m'a fait changer de regard sur Mitterrand. Au congrès d'Épinay, il a rallié le nouveau PS avec sa convention des institutions républicaines, et s'est fait élire premier secrétaire dans la foulée. Sous son impulsion, je sentais que le PS devenait un parti capable de conquérir le pouvoir. En 1972, la signature du programme commun de la gauche a été pour moi un signal. Je me souviens que je l'ai lu et relu avec passion, remplissant les marges d'annotations. Tout ne me convainquait pas, loin s'en faut. Je trouvais en particulier que l'esprit de liberté et de créativité qui avait fait irruption dans nos vies en mai 1968 en était dramatiquement absent. Malgré ces lacunes, le programme commun me mettait au comble de l'excitation. Enfin un projet ! Enfin une stratégie de pouvoir ! Faire alliance avec les communistes me paraissait une idée pertinente pour battre la droite. Je trouvais très juste le raisonnement de Mitterrand : comment peut-on imaginer faire triompher des propositions sociales si on ne s'allie pas avec ceux-là mêmes qui y ont le plus intérêt, c'est-à-dire ceux qui forment le fameux « peuple de gauche » ? La SFIO avait perdu depuis trop longtemps le contact avec les couches populaires. Celles-ci votaient massivement pour le PC ? Eh bien, il fallait s'allier avec les représentants qu'elles s'étaient choisis. C'était cela, la stratégie de rassemblement de la gauche. Et, à ceux qui objectaient que le PCF était un monument de stalinisme, Mitterrand répondait : « Raison de plus, montrons aux classes populaires qu'il existe une autre solution que le communisme totalitaire et qui lui est préférable, le socialisme. »

J'étais de ce socialisme-là. Je contestais certains aspects du projet, mais pas les réformes qu'il permettait ni le chemin vers l'action qu'il traçait. Non seulement je n'étais pas offusqué par l'évidente stratégie de pouvoir qui était à l'œuvre dans le programme commun, mais c'est même ce qui m'a décidé. À quoi bon échafauder des théories dans un salon ou refaire le monde au bistrot ? Je préfère mille fois partir au soleil et me consacrer à ceux que j'aime. Je n'ai d'ailleurs pas hésité à le prouver plus tard, quand j'ai cessé de percevoir l'utilité de mon action politique – et je suis encore homme à préférer une vie « civile » bien remplie à une vie politique stérile.

En 1972, l'utilité de ce que faisait Mitterrand me sautait aux yeux. J'avais vingt-deux ans, je me souviens qu'à Toulouse, où nous faisions tous deux nos études, j'en discutais avec mon ami Philippe Arnal en buvant des vodkas-orange au Bar américain. Ce jour-là, Philippe m'a dit : « Mais Bertrand, depuis le temps que tu en parles, que tu en rêves, que tu vibres pour la politique, quand est-ce que tu vas passer à l'acte ? » Je lui ai répondu : « Tu as raison. Maintenant il y a le PS, je vais m'engager. »

J'ai adhéré au PS dans la fédération de l'Aveyron, qui était à l'époque composée à 70 % de molletistes. Je cherchais mes frères en conviction. Je suis allé écouter les groupes de discussion, du côté de Jean Poperen, que j'aimais bien. Ils étaient très à gauche, je les trouvais stimulants, mais un peu extrémistes tout de même, et assez sectaires : « Nous ne sommes pas nombreux, résumaient-ils. Mais ça ne fait rien, c'est nous qui avons raison ! » Le contraire, en somme, de ce qui m'avait séduit chez Mitterrand. J'ai aussi prospecté du côté du CERES de Jean-Pierre Chevènement. D'emblée, je me suis heurté à un obstacle insurmontable à mes yeux : son antieuropéanisme. J'étais à fond pour l'Europe parce que je voyais dans la construction d'un ensemble rassemblant ces nations un rempart contre les nationalismes et tout ce qu'ils peuvent charrier en termes de guerre, de racisme et d'exclusion.

J'ai finalement trouvé ma « famille » quand j'ai rencontré Maurice Benassayag et Jean-Claude Colliard. C'étaient deux membres du comité directeur du parti qui écumaient les fédérations pour y détecter les éléments susceptibles de jouer un rôle dans la rénovation du PS entreprise par Mitterrand. En 1973, ils m'ont repéré au cours d'une réunion à Rodez et m'ont proposé de devenir un responsable de la fédération de l'Aveyron. J'allais avoir vingt-trois ans, c'était une chance pour le militant tout feu tout flamme que j'étais. J'ai ainsi participé à la bataille du congrès de Grenoble en juin de la même année. Un tournant, puisque nous avons fait basculer la majorité du PS de l'Aveyron du côté des mitterrandistes. Nous ne le savions pas encore, mais nous étions en train de poser avec beaucoup d'autres, dans tous les départements, les jalons de ce qui allait devenir huit ans plus tard la victoire de la gauche en 1981.

Tout en continuant à travailler comme pion dans un lycée de Rodez, j'allais à Paris pour suivre des formations. Georges Fillioud avait envisagé que je devienne son assistant. La politique m'offrait à la fois un engagement militant et un débouché professionnel. J'étais très tenté. Ma mère ne voyait pas cela d'un très bon œil. Elle qui était fille, petite-fille et nièce de hauts fonctionnaires aurait préféré que je prépare un concours pour intégrer l'administration. Même quand j'ai été élu conseiller de Paris en 1977, je crois qu'elle a continué à regretter que je n'aie pas fait une carrière de fonctionnaire. Mais j'avais vingt-trois ans, et, pour moi, cette perspective, c'était le contraire de la liberté !

Paradoxalement, c'est mon père qui avait le mieux perçu la passion qui m'habitait. Malgré nos divergences d'opinion, il avait fini par soutenir mon projet. Cet homme de droite, qui détestait Mitterrand et contestait vigoureusement mes opinions de gauche, m'a envoyé après mon adhésion au PS une très belle lettre que je garde précieusement. « Est-ce que j'aurai assez de force pour t'accompagner et t'aider dans la voie que tu t'es choisie ? » écrivait-il. Le souvenir de ce généreux comportement de mon père m'émeut encore et m'a donné beaucoup de force. Quelques semaines plus tard, le lendemain matin du soir où j'étais élu secrétaire fédéral de l'Aveyron, on est venu m'annoncer sa mort. Il était décédé la nuit même, peut-être dans les heures où j'accédais, heureux, à ma première responsabilité politique. La douleur fut d'une violence inouïe. Longtemps. Puis j'ai préféré transiger provisoirement avec la réalité, faire comme s'il était simplement parti en voyage ; j'ai prolongé son existence. C'était ma façon de le faire vivre malgré l'absence.

J'ai passé l'été 1973 chez ma tante paternelle, à Biarritz. Si proche de mon père, femme belle et rayonnante, sa présence m'était indispensable après le choc. Les trois mois passés auprès d'elle ont donné une nouvelle vigueur à une magnifique histoire d'affection qui m'a procuré parmi les moments les plus heureux de mon existence, jusqu'à son départ, vingt-cinq ans plus tard. Informé par Jean-Paul Salvan, un de ses amis, architecte à Rodez, de ma présence dans la région, François Mitterrand m'a convié à Latché. Très prévenant avec le bleu que ses lieutenants avaient déniché dans l'Aveyron, il m'a emmené en promenade. Mais je suis resté silencieux, incapable de réagir. J'étais à la fois pétrifié par l'admiration, et sans doute encore trop éprouvé par mon deuil. Je rencontrais mon maître en politique à un moment où je n'avais absolument pas la tête à la politique.

C'est dans cette espèce d'état second que j'ai traversé l'année. Mon projet de monter à Paris a été momentanément bousculé par l'élection présidentielle anticipée consécutive à la mort de Georges Pompidou en 1974. Pendant cette période électorale, Robert

Fabre, leader national des radicaux et député de l'Aveyron, a suggéré à Mitterrand que je reste en Midi-Pyrénées. J'ai donc prolongé mon séjour à Rodez et me suis donné à fond dans la campagne, persuadé que nous allions remporter la victoire. En mai 1974, au second tour, Mitterrand obtenait 49,19 % des suffrages. Si près du but, l'échec – à moins de 1 % des voix.

J'étais profondément déstabilisé, comme on peut l'être après avoir perdu une bataille où l'on s'est investi de toutes ses forces. Cela m'a fait beaucoup réfléchir sur ce que je voulais faire de ma vie. Je suis parvenu à la conclusion qu'il fallait impérativement que je prenne mon avenir en main, que j'assure mon autonomie. Celle-ci passait par mon indépendance professionnelle. À Rodez, je tournais en rond, je m'ennuyais et, depuis la mort de mon père, j'étais désemparé.

Cela s'est passé le jour de la fête des Mères. Après avoir déjeuné avec ma mère, j'avais rendez-vous avec un copain pour l'accompagner à la pêche. Il s'est décommandé. Je suis monté dans ma petite chambre du lycée Monteil. Je me suis dit : « Qu'est-ce que tu vas faire ? » Mon entrée au PS, la mort de mon père, la rencontre avec Mitterrand, la campagne présidentielle, l'échec de la gauche... En quelques mois, j'avais été aspiré dans un véritable maelström. La réponse est venue toute seule : « Paris. » J'ai fait mes valises, je les ai descendues dans ma 204, j'ai prévenu ma mère et, sans céder à sa réaction négative, j'ai pris la route. Après avoir longtemps mûri, la décision de quitter Rodez, ma mère, mes copains, ma vie d'étudiant – la décision d'entrer dans l'âge adulte – s'est imposée en quelques minutes. Je partais sans projet précis, un peu à l'aventure, mais c'était moi le pilote.

Mon frère et sa femme Mick m'ont chaleureusement accueilli chez eux.

Tous les matins, j'épluchais les petites annonces du *Figaro*. C'était en juin 1974, il n'y avait pas encore de crise de l'emploi. Quatre semaines plus tard, j'étais embauché comme cadre commercial dans une société de produits chimiques, Bitumes Spéciaux, et je louais un appartement à côté de la Bastille. Des journalistes ont écrit que c'était Mitterrand qui m'avait fait venir à Paris. La vérité est tout autre : je n'ai renoué le contact avec Maurice Benassayag qu'une fois ma situation professionnelle réglée.

Plus que jamais, je voulais participer à l'entreprise mitterrandienne de conquête du pouvoir que j'avais vue à l'œuvre au congrès de Grenoble. Je voulais en être, mais je ne voulais pas en être dépendant. J'étais arrivé à la conclusion que je tenais trop à ma liberté pour l'hypothéquer entièrement, fût-ce au profit d'un engagement politique.

Je n'aime d'ailleurs pas l'expression « carrière politique ». À mes yeux, la politique n'est ni une profession ni un gagne-pain. J'emploie souvent le terme « managers publics » pour désigner les élus appelés à gérer les intérêts collectifs. Pourquoi managers ? Parce qu'ils doivent remplir leur mission avec le maximum de rigueur et de professionnalisme. Qu'ils soient rémunérés pour ce travail va de soi. Qu'ils doivent gravir des échelons, faire leurs preuves, c'est la trame même d'un engagement dans une société démocratique. Mais ni l'aspect gestionnaire, indispensable, ni l'ambition, légitime, ne peuvent tenir lieu à mes yeux d'alpha et d'oméga en politique. Le moteur comme le but sont d'une autre nature : il s'agit de convictions et de volonté. Ces convictions sont pour moi enracinées dans l'être, aussi profondément que peuvent l'être, par exemple, des valeurs morales ou des croyances religieuses, même si leur rapport à la raison et à la relativité est différent.

Quelques mois après mon installation à Paris, Paulette Decraene – à moins qu'il ne s'agisse de Marie-Claire Papegay –, une des secrétaires de François Mitterrand, me téléphone : « Le président veut te voir. » Il n'allait être élu à la présidence de la République que six ans plus tard, mais tout le monde l'appelait déjà « président ». « Je sais que vous êtes à Paris, me dit Mitterrand. J'aimerais que vous veniez au siège du PS, place du Palais-Bourbon. Vous travaillerez au secteur entreprises avec Louis Mermaz, mais vous dépendrez de moi. » J'ai réfléchi peu de temps mais intensément : que devenait dans une telle aventure mon goût farouche pour l'indépendance ? En fait, je n'avais aucune envie de résister à cette chance de passer aux actes. À François Mitterrand non plus. Et je me rassurai en m'engageant envers moi-même : ce statut serait provisoire. Ce qui fut le cas.

Un an plus tard, je faisais mon service militaire à la base aérienne de Villacoublay. Dans les années 1970, l'effervescence qui agitait toute la société depuis 1968 avait atteint l'armée. Dans le sillage de l'« Appel des 100 », un groupe de conscrits qui réclamaient plus de démocratie au sein de l'armée, des comités de soldats poussaient un peu partout. La direction du PS ne les voyait pas d'un mauvais œil. J'ai donc créé le comité de soldats de Villacoublay, avec l'accord de François Mitterrand et de Charles Hernu. Quelques mois plus tard, à la suite d'une violente mise en cause par le

Premier ministre de l'époque, Jacques Chirac, le premier secrétaire demande à tous les jeunes socialistes de s'en désengager. Entre-temps, un militant parisien avait été jeté en prison. Je ne voyais pas comment je pouvais dissoudre notre comité tant que notre camarade n'avait pas été relâché. J'ai eu à ce propos une vive altercation avec un Mitterrand courroucé, qui a fini par me lancer : « Si vous les voulez tant que ça, ces comités, vous n'avez qu'à aller à la Ligue communiste révolutionnaire ! » J'étais mortifié : me traiter de révolutionnaire, moi ! Alors que c'était lui qui changeait de position en me proposant en quelque sorte de rompre un contrat moral avec un camarade « emprisonné ».

Mon rapport avec Mitterrand était d'une loyauté entière, mais les frictions n'étaient pas rares. J'étais toujours disponible, mais je ressentais le besoin de me préserver de sa domination. Puis j'ai eu la chance de rencontrer assez rapidement quelqu'un dont je n'ai jamais eu à craindre les empiètements et qui m'a toujours donné le sentiment de respecter scrupuleusement mon indépendance, Lionel Jospin. Nos débuts ont été pourtant plutôt chahutés. Dès mon arrivée à Paris, Mitterrand m'avait envoyé dans le XVIIIe arrondissement, fief de Claude Estier et de Daniel Vaillant. J'y avais trouvé assez vite ma place, notamment comme secrétaire d'une des trois sections et avec la perspective d'être candidat aux élections municipales de 1977 et législatives de 1978. Un an plus tard, vers 1976, Mitterrand faisait un de ces gestes dont il avait le secret et qui avaient le don de plonger les protagonistes dans une interrogation sans fond : il parachutait Lionel Jospin, une grosse pointure, dans un arrondissement où nous étions déjà trois fortes personnalités.

Pendant quelques semaines, les relations ont été tendues. Du haut de mes vingt-six ans, je faisais savoir à l'intrus que son arrivée ne m'emballait pas. La grosse pointure de trente-neuf ans m'annonçait qu'il faisait partie des futurs candidats du PS aux législatives de 1978, et qu'il était là pour se faire élire. La sympathie de beaucoup de militants m'était acquise, et certains étaient prêts à en découdre. Mais l'affrontement n'a pas eu lieu. Je me suis rapidement aperçu de l'intelligence, de l'envergure et de la qualité humaine de mon concurrent. Je me suis dit : « N'est-ce pas absurde de mener une guérilla contre quelqu'un dont je partage les idées et apprécie la personnalité, au seul motif qu'il vient s'installer sur mes plates-bandes ? » J'ai donc fait une chose dont je suis content aujourd'hui encore quand j'y repense. J'ai invité chez moi tous les dirigeants de la section. Lionel s'attendait à une explication musclée. J'ai pris la parole et j'ai dit : « Écoutez, j'ai réfléchi. J'ai une vraie considération pour Jospin, et aucun désaccord de fond avec lui. Alors voilà : je propose que nous l'accueillions et qu'il devienne le leader de la section. »

Inutile de décrire le soulagement général. C'est de ce moment qu'est née la « bande du XVIIIe », Jospin, Estier, Vaillant et moi. Ensemble, nous avons tout connu des exaltations, des rêves et des déconvenues de la vie politique. Nous avons quatre tempéraments aussi distincts que bien trempés. L'affection et la solidarité de nos convictions ont résisté à tout. Même aux rivalités qui auraient logiquement dû surgir entre nous. Grâce à eux, à quelques autres et tout particulièrement à Jean Glavany, je sais que l'amitié est possible en politique.

C'est à ce moment aussi que se construit la relation

singulière qui me lie à Lionel. Dès les années 1978-1979, il était à mes yeux l'homme de l'avenir. J'étais devenu, avec Yves Lebas, spécialiste des questions internationales, un de ses deux principaux collaborateurs, et j'étais bien placé pour prendre sa mesure. J'ai été tout de suite admiratif de la façon dont il alliait convictions et pragmatisme. Les idées ne valaient que mises à l'épreuve des faits. Mais ce n'était jamais le souci tactique qui prédominait. C'était un intellectuel qui intégrait la réalité dans sa pensée au prix d'une rigueur extrême. Aucune analyse n'était valable si toutes les données n'avaient pas été minutieusement vérifiées. Il m'a inculqué cette exigence – et j'en garde, entre autres, un certain côté pinailleur que j'assume volontiers aujourd'hui.

J'admire Mitterrand pour son brillant, son intuition et le véritable génie de l'histoire qui le caractérisait. Mais l'homme d'État qui m'aura inspiré le plus de considération, c'est Lionel. Il donnait à la chose publique sa triple dimension d'analyse, de conviction et d'action, dans une absence totale de cynisme.

Plus personnellement, Lionel m'a donné de la force. Il possède un sens aigu de la liberté, celle de ses proches autant que la sienne. Lorsque j'étais son collaborateur, il entretenait avec moi des relations égalitaires. J'exprimais mes désaccords sans souci de forme, nous n'hésitions pas à nous engueuler. C'était formidable d'être au service de quelqu'un qui ne me faisait jamais sentir son autorité – et pourtant il n'en manquait pas –, qui me laissait jouer pleinement mon rôle, sans que l'échange, le débat, la contradiction soient bridés par un carcan hiérarchique. Avant 1985, j'ai été tenté à plusieurs reprises de quitter la politique pour aller me frotter au monde de l'entreprise. J'avais besoin de me prouver que je ne restais pas là par confort ou par conformisme. Quand je lui en parlais, c'était à chaque fois avec le même scrupule qu'il me répondait. Il me donnait d'abord son point de vue, puis son souhait amical, et il concluait ainsi : « Surtout, c'est toi qui sais ce que tu dois faire. Tu es un homme libre. » J'étais un homme libre avec Jospin. Et ce fut particulièrement vrai lorsque je pris la décision, en 1985, de lui demander, au congrès de Toulouse, de ne pas me reconduire dans ma responsabilité de secrétaire national aux fédérations. Plus tard, Lionel et moi nous sommes un peu éloignés pendant quelque temps. Mais je n'ai jamais douté de notre relation parce qu'elle est fondée sur le respect de l'autre et de sa liberté.

Il m'en avait donné une preuve éclatante en 1984, quand le journal d'extrême droite, *Minute*, avait publié un article ordurier à propos de mon homosexualité, allant jusqu'à me faire passer pour un travesti occasionnel. J'étais humilié. J'étais jeune, j'avais trente-quatre ans, et je n'arrivais pas à passer l'éponge sur cette ignominie qui m'avait extraordinairement affecté. Contre l'avis de mes amis, j'ai décidé d'intenter un procès. Je devais d'abord en parler à Lionel, à qui je n'avais jamais fait précisément état de ma vie personnelle. Lionel est tombé des nues. Il savait que j'avais eu des amies, il ne s'était pas posé plus de questions. Je ne dissimulais rien, et tout le monde autour de nous le savait. Mais Lionel est extrêmement discret, y compris avec ses amis. Il se préoccupe de savoir s'ils sont heureux, il n'a pas de curiosité pour le déballage intime.

La surprise passée, il a, comme d'habitude, disséqué la question avec une extrême clarté. Nous étions persuadés que ce procès déclencherait un scandale dans les médias. J'étais le principal lieutenant de Lionel et un leader en vue du PS. Mitterrand m'avait conseillé de traiter cette affaire par le mépris. La conclusion de Lionel a été la suivante : « Je pense que tu ne dois pas faire ce procès, autant pour nous tous que pour toi individuellement. Mais je vais te dire une chose : c'est *ta* vie. Si tu le fais, sache que je serai totalement solidaire avec toi. » J'ai fait le procès, je l'ai gagné, j'ai eu la jouissance de faire condamner ce torchon.

Contrairement à ce que nous craignions, cela n'a provoqué aucun scandale : la condamnation de *Minute* a donné lieu à trois lignes dans les journaux ! Mais, tout au long de ce qui fut une véritable épreuve pour moi, Lionel n'a jamais cédé au moindre mouvement d'agacement ou d'incompréhension. Il a été d'une fidélité, d'une attention et d'une délicatesse extrêmes. Je suis donc assez bien placé pour savoir que ce n'est pas par l'effet d'une quelconque parcelle d'homophobie qu'il a mis un peu de temps (deux ans après son arrivée à Matignon en 1997) à faire aboutir la réforme du pacs. Non, comme toujours, Lionel veut convaincre. Sans doute s'interrogeait-il sur la capacité de la société à accueillir positivement cette réforme.

Quand son passé trotskiste est remonté à la surface, c'était à mon tour de tomber de l'arbre. En somme, je n'avais pas été plus clairvoyant à son propos qu'il ne l'avait été au mien ! Mais, hormis un doute sur mon intuition, j'avoue que ces révélations ne m'ont pas perturbé outre mesure. Dans une interview donnée à *L'Express* où je répondais au questionnaire de Proust, à la question : « Quelle est la faute pour laquelle vous avez le plus d'indulgence ? », j'ai répondu : « Avoir été trotskiste dans sa jeunesse. » Je me suis empressé de le lui dire, évidemment. Il a eu le bon goût d'en rire. Je pense que le trotskisme de Lionel est un moment de sa jeunesse et que sa plus grosse erreur a été de le nier. Il a surestimé l'impact possible de l'aveu. Maladroitement, il a choisi – ce qui est très rare chez lui – une part de mensonge. Lionel n'est pas parfait, mais je n'ai jamais cru que l'être idéal existait. Sans la moindre hésitation, il est ma référence en politique.

D'autant que je suis certain de la nature de ses convictions. Était-il encore un lambertiste quand je l'ai connu en 1976, ou un ex-gaucho qui tenait à conserver des contacts tous azimuts ? Je n'en sais rien. Je suis, en revanche, certain qu'il pensait social-démocrate. J'ai suffisamment éprouvé son engagement politique de l'époque pour pouvoir en témoigner. Quant à la « mission » de taupe dont il aurait été chargé par ses amis trotskards, je suis persuadé qu'on avait beau le missionner, il n'en faisait de toute manière qu'à sa tête, et sa tête est celle d'un homme libre. Cet homme a si peu d'ambiguïté qu'on peut lui concéder celle-ci... Mon travail avec Lionel est certainement, avec la fonction de maire de Paris, ce qui m'aura apporté le plus de satisfactions profondes – et même d'honneur – dans ma vie politique.

En 1985, l'envie de partir me démangeait si fort que personne ne pouvait plus me rattraper. Il y avait un trop grand déficit de liberté dans ma vie. L'échec de mon parachutage à Avignon m'avait rappelé le caractère infiniment précieux de l'indépendance. Au bout de dix années d'intense engagement politique, j'avais fini par me sentir trop contraint dans l'organisation concrète de ma vie, en manque de trop d'ouvertures. Cet appétit de vivre inassouvi s'est conjugué avec un doute profond sur l'utilité de ce que j'étais en train de réaliser sur le terrain politique. J'ai alors préféré aller explorer ailleurs d'autres possibilités d'épanouissement plutôt que de m'accrocher à la logique un peu conformiste d'un parcours politique linéaire.

À Avignon, l'appareil local du PS s'était divisé à mon propos. Des proches de François Mitterrand étant présents dans les deux camps, il semblait logique de conclure qu'il avait au moins partiellement contribué à ce climat. S'est-il senti un peu coupable ? Toujours est-il qu'il m'a fait savoir qu'il souhaitait me voir. Ma décision était irrévocable, et ma mauvaise humeur pas encore dissipée. Les secrétaires du président ont dû insister. Lionel lui-même est intervenu : « D'accord, ta décision est prise, mais c'est ridicule de ne pas y aller ! » J'ai fini par me rendre à l'Élysée. François Mitterrand m'a accueilli en termes affectueux et a commencé à parler. « Monsieur le président, est-ce que je peux vous interrompre ? Est-ce que vous me permettez de m'exprimer, mais cela peut prendre une dizaine de minutes ? » Je lui ai donc dit ce que j'avais sur le cœur. Il m'a écouté, puis il a saisi son stylo en disant : « Je répare. » J'étais interloqué. « J'écris à tous ceux qui vous ont combattu en se réclamant de moi, pour leur dire que je les désapprouve. » Je l'ai arrêté : « Je pourrais l'accepter de François Mitterrand, pas du Président de la République. » Je pense qu'il était sincère dans son désir de « réparation ». Il m'a proposé plusieurs postes, entre autres, au sein de son cabinet à l'Élysée. Je pense aussi qu'il souhaitait me « garder », non pas tant parce qu'il tenait particulièrement à ma présence que parce qu'à ses yeux personne n'était de trop, que, dans le jeu politique qu'il dirigeait en virtuose, tout élément avait une utilité, quitte à modifier son affectation. En me raccompagnant – ce qu'il n'avait pas l'habitude de faire –, il m'a dit : « Ceux qui vous ont combattu sont des amis, mais vous, vous êtes de la famille directe, comment avez-vous pu en douter ? »

Avec Lionel, nous avons continué à échanger beaucoup pendant quelques mois. C'était difficile pour lui de me laisser partir. Je ne suis pas sûr qu'il n'en ait pas conçu une certaine amertume, mais il ne me l'a jamais exprimée. Il voulait que je prenne ma décision hors de toute pression, fût-elle amicale. À ce stade, j'étais pour ma part parvenu à la conclusion qu'il pouvait très bien se passer de moi. L'avenir en a donné la preuve puisque je n'ai plus jamais été un collaborateur très proche dans cette trajectoire qui l'a conduit à faire gagner la gauche pour la première fois après François Mitterrand, en 1997, et à diriger notre pays. Mais, à ce point de son parcours, il pouvait, lui, en juger autrement. Malgré tout, il a intégralement respecté ma liberté de choix là où d'autres auraient recouru à un chantage affectif.

Pendant ces années où j'ai fondé ma propre entreprise de conseil en stratégie, Lionel s'intéressait à ce que je faisais, il voulait savoir si j'allais bien. Mais il avait un rapport extérieur avec le monde de l'entreprise. Comme Mitterrand, c'est un pur politique. Le seul qui avait parfaitement compris mon envie d'avoir une autre vie professionnelle, de plonger dans le privé, c'était Gaston Defferre. Plus âgé que Mitterrand, il n'avait pourtant pas de mal à comprendre ce genre de besoin. C'était un vieux monsieur que j'aimais comme une sorte de grand-père en politique – un grand-père farceur et un peu filou. Malgré la différence d'âge, nous étions vite devenus amis. Il était malin, drôle, brillant. Comme Lionel, il acceptait la contestation, il me laissait respirer. Ce qui me le rendait irrésistible, c'était son goût de la vie, de l'art et du plaisir.

En 1981, il était ministre de l'Intérieur du premier gouvernement Mauroy, et j'étais le rapporteur du budget de la police à l'Assemblée nationale. Nous devions travailler ensemble sur ce budget. Gaston s'exprimait sans jamais prendre de gants, mais il mettait tant de joie dans la relation de travail, de rigolade et d'affection qu'il était impossible de lui en vouloir. Dès les premiers mois de la législature, la question des banlieues, agitées d'incidents violents, s'est posée. La presse parlait de rodéos, d'« étés chauds ». Defferre avait fait une déclaration tonitruante réclamant des contrôles d'identité sévères et le droit pour les policiers de tirer sans sommation. Réaction courroucée et incendiaire de Badinter, ministre de la Justice. La cour de la rue de Solferino grouillait de journalistes attendant la réaction du PS. Lionel absent et injoignable, il ne me restait plus qu'à me jeter à l'eau comme porte-parole du PS. J'ai émis alors, un peu instinctivement, un jugement de Salomon : oui pour les contrôles sous certaines conditions, mais pas question de tirs sans sommation. Puis j'ai appelé le ministère de l'Intérieur : « Gaston, tu m'as mis dans une position impossible ! J'ai été contraint, excuse-moi, de te désavouer sur un point. » À l'autre bout du fil il y eut un grand éclat de rire : « J'ai fait exprès de demander deux choses pour en obtenir une ! » Et c'est ce qui arriva au moment des arbitrages du Président et du Premier ministre.

Lors de ma tentative ratée de m'implanter dans le Vaucluse, Gaston avait fait campagne à fond pour moi.

Puis, tout en regrettant que je quitte la politique, il avait totalement approuvé ma décision d'aller dans le privé. Il trouvait que cela avait du sens. Il était, à bien des égards, très « moderne », possédait une sensibilité qui lui permettait de saisir la saveur des parcours non rectilignes. Il m'a aidé autant qu'il l'a pu. C'est lui qui m'a organisé des rencontres avec Jean-Luc Lagardère et Marcel Bleustein-Blanchet. L'un et l'autre m'ont proposé des postes très intéressants. J'ai poursuivi les contacts pour m'apercevoir finalement de ce que je savais déjà : je voulais monter ma propre affaire. Et, pour commencer, j'ai conclu un partenariat avec un brillant créatif de la publicité : Daniel Robert.

Gaston, peu avant sa mort, caressait même l'idée que nous créions, ensemble, un journal à Lyon ou une télévision locale. Il avait, à l'époque du maquis, fondé *Le Provençal*, premier journal libre de la France occupée, qu'il avait dirigé sans discontinuer depuis. En 1971, il avait racheté *Le Méridional*. Malgré ses soixante-quinze ans, ce volcan d'énergie continuait à avoir des envies d'un capitaine d'industrie.

J'ai beaucoup pensé à Gaston quand j'ai été élu maire. Il me disait souvent : « J'ai été ministre plusieurs fois, j'ai été candidat à la présidence, j'aurais pu être Premier ministre. Mais il n'y a rien qui me plaise autant que d'être maire. Qu'on me dise : Monsieur le maire. » Aujourd'hui, je comprends intimement la fierté du maire de Marseille. Je comprends en quoi cette fonction satisfait au goût de l'indépendance. Quand on est maire, on n'a pas de comptes à rendre au chef du gouvernement ni au Président de la République, on doit les rendre à ses électeurs. Je n'ai pas été rebelle à toute autorité dans ma vie, mais, aujourd'hui, l'autorité des électeurs est, de loin, celle que je préfère.

En 1986, ma nouvelle vie m'a rapproché de Pierre Bérégovoy. Nous étions de vieilles connaissances, mais nos relations se sont resserrées au moment où je m'éloignais, précisément parce que ma démarche l'intéressait. Ministre de l'Économie depuis 1984, il était sensibilisé à l'aventure entrepreneuriale. Il me questionnait beaucoup sur mon expérience, me demandant de mettre par écrit des petites notes, des suggestions. Cet ancien cheminot avait beaucoup évolué depuis ses combats de syndicaliste. Il avait remis en question ses vieilles certitudes, ayant compris que, loin de desservir la justice sociale, la lutte contre l'inflation était nécessaire à l'emploi et au pouvoir d'achat des plus modestes. Sa nomination à Matignon en 1992 est tout sauf une sinécure. Il succède à Édith Cresson, à un an des législatives de 1993, alors que s'accumulent conflits haineux au sein du PS, mauvaise conjoncture internationale et scandales financiers qui éclaboussent la gauche. Arrive le pire : un prêt de un million de francs, contracté pour l'achat de sa résidence principale, fait hurler. C'était une transaction tout à fait légale mais elle avait été négociée avec un riche ami du Président, Patrice Pelat. La campagne est féroce, comme si on lui reprochait sa très relative aisance d'ancien « pauvre ». Pierre n'était pas un cynique, il ne disposait pas de ce réservoir de mépris et de froideur pour le protéger des sarcasmes d'une pseudo-élite ou, plus insupportable à ses yeux, d'ouvriers comme lui, qui perturbaient ses réunions publiques en lui réclamant un million de francs. En mars 1993, la victoire de la droite est écrasante. Bien que réélu député de Nevers, il vacille. Huit jours avant sa mort, nous sommes allés prendre un café ensemble, en marge du comité directeur du PS. Sa voix était faible. Physiquement épuisé, il recherchait l'échange avec ses amis. Mais, mélange d'orgueil et de souffrance aiguë, il se braquait, ne voulant pas admettre qu'il n'était ni le seul ni le principal responsable de notre échec. Quelques jours avant ce fatidique 1er mai, alors que je passais des vacances avec mon ami Jean Glavany et sa famille, nous lui avons parlé au téléphone. Bizarrement, il a conclu la conversation en me disant : « Je t'embrasse » – ce qui n'était pas son langage habituel. Le geste de Pierre Bérégovoy nous a tous plongés dans la stupeur et l'effroi. Onze ans après, la peine est intacte. Le souvenir et l'affection aussi. La défaite humiliante que nous venions d'essuyer nous en a paru encore plus douloureuse. La mort volontaire d'un juste ajoutait le tragique à notre déroute.

D'autres, parmi les plus solides, ont senti passer la tornade. Battu en Haute-Garonne, Lionel s'est lui aussi retiré. Il a démissionné de la direction du PS pour retourner à son corps d'origine. Mais le gouvernement Balladur ne lui accordant aucune affectation de diplomate, il déploie dès 1994 une certaine énergie dans le débat d'idées. Nous remarquons tous le soin apporté à l'élaboration d'une contribution, qu'il signe seul, en prévision du congrès du PS à Liévin, à l'automne. Rassemblement assez surréaliste où l'on voit l'emporter une ligne politique confirmant un « coup de barre à gauche » et un appel à la candidature de... Jacques Delors. Quelques semaines plus tard, celui-ci, lors d'une mémorable émission de télévision avec Anne Sinclair, développe brillamment ses convictions, ses analyses, et crée la sensation en déclarant que pour des raisons personnelles – éminemment respectables – il ne se présentera pas à l'élection présidentielle. Lionel est déjà prêt. Avec un sens parfait de la gestion du temps, il se porte candidat. Les militants le plébiscitent. Au terme d'une campagne courte, efficace, et très contestée – ce n'était pas le candidat attendu et le ton assez nouveau du « président citoyen » désarçonnait les plus conformistes des commentateurs –, il crée la surprise en arrivant en tête au premier tour, devant Chirac et Balladur. Au second tour, il est battu avec le score très honorable de 47,4 %. Après la débâcle de 1993, c'était une renaissance inespérée. C'était aussi un peu notre victoire, car la bande du XVIIIe s'est investie à fond dans la bataille : Daniel Vaillant dirigeait la campagne, Claude Estier était le mandataire officiel de Lionel, et moi son responsable de la communication.

Un mois après la présidentielle de 1995, ce furent les élections municipales. J'avais été désigné par les militants socialistes – votant à bulletins secrets – pour conduire les listes à Paris. Au Conseil de Paris, le groupe socialiste que je présidais comptait seize élus. C'était tout ce qui restait en 1989 : un groupuscule, au regard des cent soixante-trois membres de l'assemblée municipale. Nous avions encaissé l'humiliation, et nous étions retournés nous ressourcer sur le terrain. Bastion du gaullisme depuis 1947, et du chiraquisme depuis 1977, Paris paraissait imprenable. Chirac n'avait-il pas gagné par deux fois, dans les vingt arrondissements ? Mais je sentais que cette longue domination touchait à sa fin. Les municipales de 1995 en ont donné la preuve. Nous avons conquis six arrondissements, et triplé nos sièges au Conseil de Paris. Le nombre de nos sénateurs passait de un à cinq.

Pendant la campagne, alors que nous arpentions notre cher XVIIIe arrondissement, Lionel m'avait dit : « Quel dommage que tu n'aies pas été candidat aux législatives en 1986 ! » Je lui avais répondu qu'au contraire le fait d'avoir pris de la distance m'avait permis de me régénérer politiquement. Ma compréhension de la dimension collective y avait gagné en profondeur. D'autres rencontres, d'autres préoccupations, un autre métier m'avaient beaucoup appris et révélé des facettes nouvelles de l'état d'esprit des citoyens, de leur demande démocratique.

J'avais travaillé dix ans dans le privé, fondé une entreprise, bien gagné ma vie. Le retour de Lionel aux commandes du PS et notre beau succès des municipales m'ont donné envie de remettre la politique au centre de mon activité. Candidat aux sénatoriales, j'ai été élu en septembre. Légalement, j'avais le droit de conjuguer un mandat de sénateur avec un statut de chef d'entreprise. Mais, soucieux d'éviter le risque de confusion des genres – à qui se seraient adressés mes clients, au conseil en stratégie ou au sénateur ? – j'ai préféré mettre fin à mes activités professionnelles.

Tout le monde ne voyait pas mon retour d'un bon œil, en particulier à gauche. En politique, il est fréquent d'avoir à se battre contre son propre camp. Quand on propose une idée un peu différente, il faut la faire admettre par les autres membres du groupe, et cela ne va jamais de soi. Dès 1993, j'avais défini une stratégie d'opposition au Conseil de Paris qui s'efforçait d'éviter les combats d'arrière-garde. Je proposais de reconnaître le bien-fondé de l'action de la majorité chaque fois qu'elle nous paraissait juste, de concentrer nos critiques sur ses erreurs ou ses fautes, et surtout de multiplier les propositions crédibles. Je cherchais à créer une opposition utile. J'ai dû convaincre les miens de la pertinence de cette stratégie, et gagner ma place de chef de l'opposition. De la même manière, j'ai eu à les convaincre quand je me suis porté candidat à la mairie de Paris. Aucun tapis rouge ne m'attendait.

À l'approche des élections de 2001, ma candidature était loin de faire l'unanimité. Quelques-uns la trouvaient logique depuis les municipales de 1995. Mais dans la presse, et dans une partie de l'opposition parisienne, c'était le doute : « Delanoë maire ? En est-il capable ? N'est-il pas un peu terne pour une telle fonction ? » Cela aurait pu me décourager. J'aurais pu me calfeutrer dans le relatif confort de mon siège de sénateur. Je me suis souvenu du conseil que Daniel Mayer m'avait donné quinze ans plus tôt. Ses encouragements avaient été d'un grand secours pour le jeune militant que j'étais alors. Il est de ceux qui m'ont le plus aidé à ouvrir les yeux sur moi-même. Dans les années 1970, et même après mon élection à l'Assemblée nationale en 1981, il me répétait souvent : « Tu n'as pas assez confiance en toi. » Cette phrase m'étonnait, car il était le seul à parler ainsi. Pour la plupart des gens, je faisais plutôt preuve d'un excès de confiance.

En fait, j'ai mis du temps à m'autonomiser, par rapport à Mitterrand d'abord, à Lionel Jospin ensuite. À l'approche des élections municipales de 2001, et après m'être préparé pendant plusieurs années à m'en donner les moyens, j'ai décidé d'aborder la question de ma candidature à la mairie de Paris.

Mais, avant de faire la moindre déclaration, j'avais besoin de répondre à trois questions. La première concernait les Parisiens : « Es-tu capable d'être un bon maire de Paris ? » Il s'agissait pour moi de la vraie question, la plus cruciale. Ce n'était pas tout de se présenter à un scrutin chaudement disputé, ni de faire une bonne campagne, ni d'obtenir un bon score. Et si nous remportions les élections ? Et si j'étais élu ? Avais-je le potentiel pour devenir un bon maire ? C'est à Lionel Jospin que j'ai posé, en décembre 1999, la question. Sa réponse a été décisive. Avec beaucoup de rigueur, il m'a exposé les raisons pour lesquelles il était persuadé que je pouvais être maire de Paris. La froideur même de sa démonstration était un encouragement, car elle me montrait clairement qu'une fois de plus il vivait l'amitié avec ce qu'elle a de plus précieux : la franchise.

La deuxième question que je me suis posée concernait la gauche parisienne : « Es-tu un bon candidat ? » En admettant qu'une fois élu je devienne un maire convenable, étais-je capable pour autant d'entraîner l'adhésion de mon camp et, au-delà, d'une majorité d'électeurs, de réaliser cette alchimie particulière qui contribue aux victoires électorales ? À quoi servait d'avoir peut-être les qualités requises pour bien administrer la ville si je ne réussissais pas à défaire la droite ? Après tout, à 3 % dans les sondages, j'étais donné battu par tout le monde, Lang, Strauss-Kahn, Panafieu, Séguin, Tibéri... J'ai consulté un ami, spécialiste de l'opinion publique, dont j'étais sûr qu'il ne me donnerait pas une réponse complaisante, Jean-Louis Missika. De façon tout aussi professionnelle que Lionel, il a disséqué mes points forts, mes points faibles, mon potentiel dans l'opinion et pourquoi j'étais à son avis apte à créer une dynamique et à incarner l'alternance à Paris.

Et puis il y avait une troisième question, la plus

importante avec la première, et qui me concernait personnellement : « Veux-tu être maire de Paris ? » Celle-ci était la plus difficile, elle exigeait la plus grande lucidité. Certes, j'aime exercer des responsabilités, et j'avoue ne pas être insensible à la reconnaissance du mérite. Mais je ne place pas ma fierté dans un titre ou une position. Je la tire plutôt de ce que je parviens à réaliser. N'étant pas un être d'abnégation, il fallait que je sois parfaitement au clair avec moi-même sur les sacrifices que ce choix allait entraîner. Il y avait un sacrifice financier. Si j'étais élu, j'étais décidé à démissionner de mon siège de sénateur, car je suis contre le cumul des mandats. Or tout le système politique français pousse au cumul et le maire de Paris gagne beaucoup moins qu'un parlementaire. Le « député-maire » est un personnage emblématique de la vie publique et il y a peu de responsables de grandes collectivités qui ne détiennent – ou ne cherchent à détenir en même temps – un mandat parlementaire.

Occuper une fonction aussi lourde représenterait également une vraie perte de liberté, une accumulation de contraintes, d'énergie concentrée sur la tâche et, probablement, un bouleversement de mon rapport aux autres.

J'ai consulté mes amis : les avis étaient partagés.

Comme pour l'émission « Zone interdite », c'est Yves Lebas qui m'a fourni la clé : « Ce défi est inscrit dans ton identité, dans tes convictions profondes et dans ton engagement. Si tu te dégonfles, tu vas t'en vouloir. » C'était juste. J'ai donc mis fin à cette longue réflexion, et j'ai déclaré ma candidature en janvier 2000, soit quinze mois avant la date des élections. Si je peux être heureux aujourd'hui, c'est parce que j'ai essayé d'être lucide à ce moment-là.

J'ai eu une chance extraordinaire. Les circonstances m'ont permis de livrer cette bataille pour Paris, et j'en tire aujourd'hui une immense joie. Mais elles auraient pu être différentes. J'y ai suffisamment réfléchi pour en avoir une conscience aiguë. Le jour des municipales, j'étais prêt à accueillir avec sérénité la décision des Parisiens, quelle qu'elle fût. Je savais que j'avais fait de mon mieux, que j'avais été aussi correct que je le pouvais à l'égard des électeurs comme de mes adversaires.

Paradoxalement, l'échec aurait préservé ma vie personnelle, dont j'étais très satisfait. La victoire a été un grand moment. En même temps, j'ai mesuré le basculement désormais inévitable qu'elle m'imposait. Les premières semaines de ma prise de fonction ont été marquées par la gravité de ces nouvelles responsabilités, et sans doute la crainte du faux pas, de la mauvaise décision.

Ce fut même très dur sur le plan personnel : le sentiment de ne plus s'appartenir, de devenir esclave de la tâche. Et puis le temps a permis le retour de la sérénité (relative tout de même), de la vie, d'une relation simple à celles et à ceux que j'aime ou dont je suis l'élu.

Depuis plus de trois ans que j'ai l'honneur de représenter les Parisiens, j'ai le sentiment constant que c'est ce que j'aurai fait de plus utile et de plus passionnant dans ma vie. Avec une équipe d'élus et de collaborateurs qui ne peuvent imaginer l'ampleur de mon estime et de ma gratitude, nous nous efforçons d'agir de la façon qui nous paraît la plus sérieuse, et la plus juste. Nous trébuchons parfois. Il arrive que nous ayons besoin de la contestation pour parvenir à la bonne solution. Je suis contrarié lorsque je m'aperçois que ma première intuition n'était pas la bonne. À l'heure du bilan, j'aimerais pouvoir me dire que nous nous sommes posé les vraies questions, que nous avons parlé de ce qui dérange, que nous avons accompli les actes utiles à la vie de nos concitoyens. Je m'y emploie à fond, quitte à laisser parfois mon impatience prendre le dessus. J'ai beau savoir que la perfection n'existe pas, les lenteurs et les ratés de la machine administrative me font parfois perdre mon sang-froid. Mais je ne crois pas que je regretterai d'avoir suivi le conseil de Daniel Mayer.

6

Démocratie ascendant vérité

Alanguie... la démocratie semble alanguie, et la remarque ne s'applique pas qu'à la France, si l'on observe par exemple les taux d'abstention très élevés qui marquent chacun des scrutins aux États-Unis et en Europe.

Chez nous, les chiffres sont édifiants : de 16,99 % aux législatives de 1978, l'abstention atteint 35,62 % à celles de 2002. Quant à l'élection présidentielle – pivot de la vie politique sous la Ve République –, elle confirme la désaffection régulière des électeurs : là où, en 1965, 15 % seulement des Français ne participaient pas au vote, ils étaient près du double (28,40 %) en 2002.

Comme l'écrivait Tristan Bernard : « Ce qu'il y a de terrible dans la démocratie, ce n'est pas qu'elle dorme, c'est qu'elle prétende ne pas dormir. » Terrible, en effet, si l'on considère qu'elle n'est pas un acquis intangible, une réalité immuable qui survivrait, quoi qu'il arrive. Elle est un système exigeant, éclairé mais fragile. Ce qui explique sans doute qu'elle soit minoritaire sur notre planète. Et, à travers l'Histoire, les cris qui se mêlent, de Nuremberg à Santiago en passant par ceux – malheureusement actuels – de Pyongyang, expriment toujours la même douleur, la même tragédie, la même impuissance face à l'oppression et à la liberté bafouée.

Alors, comment expliquer cette évolution préoccupante ? Plusieurs facteurs se conjuguent sans doute : la « banalisation » inconsciente de ce bien si précieux dans l'esprit des citoyens, l'alternance qui, s'inscrivant dans nos mœurs électorales, contribue à relativiser les choix en présence, une dimension « consumériste », aussi, dans le vote démocratique moderne. S'y ajoute une opinion désabusée, comme l'exprime un sondage Sofres de mars 2003, selon lequel 90 % des Français ont le sentiment de « ne pas influer sur les décisions prises au niveau national ».

Face à cela, plusieurs solutions ont été évoquées, tel le vote obligatoire. Peut-être. Couplé à la prise en compte du « vote blanc », il peut constituer une piste, que nos voisins belges ont déjà explorée. Mais rendre le vote *obligatoire* ne suffit pas à le rendre *intéressant*. Or, c'est bien là que le bât blesse. Au fil du temps, les Français ont pu avoir le sentiment d'un spectacle politique qui se déroulait loin de leurs préoccupations, accaparé par des initiés et se déclinant au rythme des petites phrases, des ambitions qui s'entrechoquent, et des engagements toujours émouvants suivis trop souvent de reniements discrets...

Caricatural, sans doute, mais révélateur d'un fossé bien réel. Comment, par exemple, parler d'une vraie santé démocratique dans un pays dont l'Assemblée nationale compte 0,93 % d'ouvriers, là où cette composante représente plus de 21 % de notre société ? De même, comment parler de « représentation nationale » pour qualifier une Chambre qui ne compte que soixante et onze femmes sur cinq cent soixante-dix-sept élus, et où un seul député a moins de trente ans ? Quant à la France « black » ou « beur », elle est totalement absente du Palais-Bourbon. Crise de la représentation, donc, qui affaiblit l'identification à l'acteur politique. Crise d'efficacité aussi. De ce point de vue, l'évolution préoccupante de la pauvreté, du chômage ou de l'injustice sociale a pu déconsidérer les gouvernements successifs, même si des progrès tout aussi incontestables démontrent qu'en politique volontarisme et lucidité produisent des résultats. La bataille pour l'emploi menée de 1997 à 2002 ou, plus récemment, la répression de l'incivisme sur les routes sont à mettre au crédit des acteurs publics.

La crise la plus profonde serait donc celle de la confiance : les électeurs ne reprochent pas forcément à leurs dirigeants de ne pas tout réussir – chacun peut admettre la relativité – mais de ne pas toujours faire preuve de suffisamment d'honnêteté intellectuelle et de courage pour reconnaître certaines limites liées à des difficultés objectives et pour affronter les conservatismes. Rendre la démocratie « intéressante » implique donc de faire évoluer à la fois les règles et les pratiques, afin de créer un nouveau climat dans les relations entre les Français et la vie publique.

Disons-le franchement : nos concitoyens perçoivent souvent la sphère politique comme un ensemble un peu figé, régi par des principes complexes. Alors, tentons d'introduire plus de clarté, de simplicité et de fluidité.

Concrètement, je suis favorable, depuis l'origine, à l'harmonisation de tous les mandats électoraux à cinq ans. C'est un bon rythme. Une manière équilibrée de faire « respirer » notre vie démocratique. Autre nécessité : limiter strictement le cumul des mandats, en l'inscrivant dans la Constitution. Et disant cela, c'est bien à un mandat unique que je pense, au moins pour les parlementaires et les responsables d'exécutifs locaux. Ce serait, après tout, une manière d'accélérer le renouvellement du personnel politique en favorisant l'émergence de nouvelles personnalités et en élargissant considérablement le partage du pouvoir. En outre, cela aurait le mérite de permettre à chaque élu de se concentrer exclusivement sur la mission qu'il a reçue du suffrage universel. L'incompatibilité entre la fonction de ministre et celle d'une quelconque responsabilité dans un exécutif local s'intégrerait bien entendu à cette règle écrite. Nous sommes en effet, actuellement, dans la demi-mesure : est-il vraiment raisonnable de cumuler une fonction au sein du gouvernement, tout en restant premier adjoint dans sa commune ou premier vice-président d'un département ou d'une région ?

Deux autres propositions pourraient contribuer à moderniser notre paysage démocratique : d'abord, limiter à deux le nombre de mandats exécutifs successifs possibles. En effet, ne serait-il pas sain de considérer qu'à l'issue d'une période de dix ans chaque responsable politique « passe la main » à une nouvelle génération, quitte, s'il est jeune, à se représenter plus tard à cette fonction, ou à solliciter un mandat d'une autre nature ? Les dirigeants aussi ont besoin de s'aérer un peu. Ceux qui accomplissent de longues carrières publiques en seraient renforcés.

En outre ne faudrait-il pas s'interroger sur l'opportunité de limiter également l'âge des candidats à une élection, dans un pays où la longévité du personnel politique rend souvent perplexes nos voisins ? Le dynamisme des seniors dans notre société est incontestable, Danièle Hoffman* ne manque jamais de me le rappeler. Mais, à l'heure où tous les secteurs de la vie sociale et économique sont concentrés sur le dossier des retraites, cette interrogation, appliquée à la sphère publique, ne devrait pas sembler taboue...

J'ai déjà évoqué la nécessité de sanctions financières accrues à l'encontre des partis politiques qui négligent le principe de la parité. Mais d'autres pistes méritent elles aussi beaucoup mieux que l'attentisme. Par exemple, la réforme effective du statut du chef de l'État.

Le sujet a défrayé la chronique pendant la campagne présidentielle de 2002. Peu après, une commission de réflexion présidée par le constitutionnaliste Pierre Avril a d'ailleurs remis un rapport au chef de l'État. En résumé, elle propose de réformer le dispositif actuel, qu'elle qualifie de « désuet et anachronique ». La portée de ce rapport est pourtant modeste : le président conserve une immunité totale, mais celle-ci disparaît un mois après la fin de son mandat.

Surtout, une sorte de procédure d'*impeachement* à la française est prévue : en clair, le chef de l'État pourrait être poursuivi par le Parlement, constitué en Haute Cour. Dans les faits, tout ce bel édifice demeure plus que théorique ; en effet, comment imaginer sérieusement qu'une majorité des membres de chaque Chambre (Assemblée nationale et Sénat) puisse se dresser contre un président issu de la même famille politique ? À l'inverse, on voit bien que l'« arme » ainsi élaborée ne pourrait éventuellement fonctionner

---

* Adjointe chargée des personnes âgées.

qu'aux dépens d'un chef d'État de gauche, à l'initiative d'un Parlement... de droite, le Sénat ne semblant pas, à court terme, susceptible de connaître l'alternance.

C'est d'ailleurs l'un des principaux reproches adressés à ce rapport : il ne propose qu'un processus politique, le pouvoir judiciaire étant en quelque sorte dessaisi de ses fonctions au profit des parlementaires.

Il semblerait plus sain, au contraire, tout en préservant l'indépendance du chef de l'État, que celui-ci puisse être entendu par la justice pénale pour tout acte détachable de sa fonction. C'est le sens d'une proposition de loi déposée par le groupe socialiste à l'Assemblée dès mai 2001 (et adoptée en première lecture). En clair, si, à titre privé, le Président de la République – quel qu'il soit – provoque un grave accident de la circulation en état d'ébriété, il est pénalement responsable. S'il décide, en revanche, de reprendre les essais nucléaires, il ne l'est pas...

Quoi qu'il en soit, le sujet n'est sans doute pas épuisé : sans être particulièrement audacieux, le rapport Avril a été enterré, s'ajoutant à la liste déjà longue des études qui font « pschit »...

Même remarque pour la réforme du Sénat : décidément, comment accepter que dans la « Chambre haute », l'un des piliers de notre édifice constitutionnel, la majorité de droite soit presque indéboulonnable ? Autrement dit, où trouver la démocratie, quand l'alternance est empêchée ? Malgré quelques avancées récentes, je suis donc favorable à des initiatives simples et nouvelles, en particulier, modifier la composition du collège des grands électeurs en fonction de la population locale et étendre davantage encore l'application du scrutin proportionnel.

S'il semble donc nécessaire d'aérer nos institutions, notamment en renforçant le rôle d'un Parlement modernisé, je ne suis pas favorable à l'explosion des structures de la Ve République. Au contraire, leur stabilité est positive pour notre vie démocratique. L'essentiel, en fait, dépend de l'usage qu'en font les principaux – et singulièrement le principal – dirigeants politiques. La lecture de la Constitution, le comportement qui en découle, la capacité à respecter le rôle de tous les contre-pouvoirs signent aussi une culture démocratique. Elle sera toujours distincte du cadre institutionnel auquel elle s'applique. Dans tous les cas, ce qui est en jeu, c'est bien la « conscience éthique » de celui qui est distingué par le suffrage universel.

Au-delà de ces changements, ô combien souhaitables, notre vie politique a aussi besoin d'être dynamisée. Pour cela, il faut vraiment adopter un nouveau statut de l'élu, en permettant à chacun de percevoir une rétribution juste en retour de son investissement : assumer convenablement son mandat est souvent dévoreur de temps, d'énergie et source d'une pression incontestable. Eh bien, oui, la démocratie a un prix et il serait sain de l'assumer dans la transparence. Les faits montrent que ce n'est pas en entretenant une sorte de « misérabilisme » démagogique que l'on fait avancer les choses. Au contraire, c'est ce qui, dans bien des cas, a conduit à des pratiques opaques. Pour ma part, en tant que maire de Paris et président du conseil général, je n'ai rien à cacher : je perçois une indemnité mensuelle de 3 696 euros, nette d'impôt prélevé à la source et après les retenues diverses, y compris mes cotisations au PS. À cette somme s'ajoute une indemnité pour frais de représentation de 2 416 euros, votée au Conseil de Paris. Ces chiffres n'ont rien de ridicule. Mais on conviendra qu'ils placent le maire de Paris très loin des niveaux de rémunération d'autres acteurs de la vie publique. Le statut de l'élu, c'est aussi la possibilité offerte à tout l'éventail social d'accéder à des fonctions électives. Aujourd'hui, ce n'est pas le cas. Ainsi, lorsqu'un haut fonctionnaire, ancien élève de l'ENA (c'est une hypothèse d'école...), est battu à une élection, il retrouve légitimement un poste dans la hiérarchie administrative. Au contraire, un candidat issu du secteur privé ne peut en dire autant. Il y a là une vraie réflexion à mener, pour envisager des mécanismes juridiques qui favoriseraient l'engagement civique de chacun et garantiraient un filet de protection en cas d'échec. Nous devons oser ce débat avec les Français, sans hypocrisie et en assumant son coût financier.

Cette idée rejoint d'ailleurs une préoccupation qui m'est chère et qui me paraît même décisive pour les années à venir : ouvrir notre vie démocratique, faire en sorte qu'elle soit de moins en moins une planète réservée à quelques individus profilés. Utopique ? Pas si sûr. Depuis 2001, par exemple, l'Institut d'études politiques de Paris a ouvert une troisième voie de recrutement réservée aux bacheliers de condition sociale modeste et étudiant en zone d'éducation prioritaire. Cette nouvelle filière change – modestement mais sûrement – la donne : 85 % des élèves concernés sont d'origine ouvrière contre 10 % pour l'ensemble des étudiants de Sciences-Po. Et 70 % sont des femmes. Surtout, leurs résultats scolaires sont comparables à la moyenne générale et leur intégration s'avère tout à fait convaincante. Il serait intéressant que d'autres filières s'inspirent de cette expérience, quitte à y associer des entreprises (pour l'octroi de bourses, par exemple).

Les partis politiques eux-mêmes restent largement frileux dans ce domaine. Qu'on l'appelle « discrimination positive » ou, de manière plus exacte, « justice sociale », un renouvellement accru dans l'élaboration des listes, élection après élection, entraînerait un changement culturel profond. On me rétorquera que les habitudes, comme les baronnies, ont la vie longue. Sans doute. Mais, en démocratie, aucune muraille n'est infranchissable.

La démocratie sociale elle-même souffre d'un immobilisme qui affaiblit son expression. Aujourd'hui, en France, seuls 8 % des salariés sont syndiqués, contre 20 % en 1980. Le passage à une société de services – plus atomisée, avec des contrats individualisés, des carrières moins linéaires et la sous-traitance en fort développement – a renforcé l'éparpillement des organisations syndicales, qui n'ont pas pu ou pas su s'adapter à ce nouveau paysage. Même si les recettes miracles n'existent pas, trois questions se posent pour tenter de faire évoluer les choses : d'abord, comment réformer le code du travail de façon que la règle majoritaire, alliée à des élections représentatives par branche, s'impose désormais dans chaque négociation ? Ce n'est pas le cas aujourd'hui, où nous assistons à une surreprésentation de syndicats minoritaires. Ensuite, comment encourager l'émergence d'un syndicalisme qui se structure à l'échelle européenne, de nature à créer un vrai contre-pouvoir dans l'économie mondialisée ?

La question du financement des syndicats n'est pas anodine : comme le législateur l'a fait en 1990 pour les partis politiques, ne faut-il pas réfléchir à un cadre nouveau, transparent et assumé, pour organiser le financement public des organisations syndicales ? Enfin, il faut changer d'état d'esprit sur le dialogue social : les syndicats ne sont pas là pour aider un gouvernement à « faire passer » des mesures impopulaires ! Si nous voulons leur concours, il faut concevoir les réformes avec eux, assumer une part de conflit et rechercher des compromis acceptables qui leur permettent d'en valoriser les résultats auprès de leurs mandants.

De notre capacité collective à affronter les questions difficiles dépendent aussi la qualité et l'intérêt de notre débat public. Il faut bien l'avoir à l'esprit, à l'heure où restaurer la confiance des citoyens constitue un objectif majeur. Ici, la dimension éthique entre en jeu. À Paris, les citoyens l'ont exprimé avec une force particulière en mars 2001. Après plusieurs années d'une gestion opaque et clientéliste, marquée par des dérives insupportables, ils ont dit stop. L'aspiration démocratique était palpable.

Nommer un nouveau directeur des affaires juridiques a d'ailleurs été l'un des premiers gestes accomplis à notre arrivée à l'Hôtel de Ville. Les Parisiens exigeaient que notre action s'inscrive d'emblée dans le respect scrupuleux du droit. Une demi-douzaine d'instructions judiciaires encerclaient l'Hôtel de Ville sur des dossiers liés à la gestion antérieure. Il fallait avant tout rétablir transparence et légalité.

Un nouveau patron fut également nommé à la tête de l'inspection générale des Services de la Ville, chargée du contrôle interne. Jean-Claude Lesourd, un haut fonctionnaire irréprochable qui avait exercé des responsabilités sous des gouvernements de droite comme de gauche, a reçu la mission de remettre de l'ordre dans cet organe lui-même en proie à de graves querelles intestines. Jusque-là, les rapports rédigés par ce service étaient remis confidentiellement au maire et à lui seul. Nul n'y avait accès. Désormais, ils sont rendus publics, après application d'une procédure contradictoire, ce qui garantit aux personnes mises en cause la possibilité de répondre.

Nous avons aussi immédiatement modifié le mode d'attribution des logements et des places en crèches, deux priorités emblématiques aux yeux des habitants. Les logements sociaux étaient en effet distribués de façon contestable à partir d'un instrument sophistiqué mais confidentiel : le fichier dit « Silex ». Géré par une cellule d'une quinzaine de personnes rattachées au cabinet de mon prédécesseur, il présentait le nom de chaque demandeur en face de celui de l'élu qui le recommandait ! Les places en crèches étaient attribuées selon la même logique discrétionnaire. Nous avons donc institué des commissions pluralistes, ouvertes à l'opposition et au monde associatif. Ce sont elles qui organisent désormais ces attributions, sur la base de critères connus de tous.

La collectivité parisienne passe chaque année plus de deux mille marchés, pour un montant global de 380 millions d'euros. Avec Mireille Flam*, nous avons veillé à mettre en place des procédures garantissant là aussi exigence et force du contrôle. La plus grande publicité est désormais appliquée, aussi bien aux appels qu'aux attributions, puisqu'ils sont consultables sur le site Internet de la Ville.

---

* Adjointe chargée des sociétés d'économie mixte et des marchés publics.

Il existait en outre, à Paris, une pratique financière exorbitante du droit commun : la fameuse « questure ». Héritage de l'Ancien Régime, que l'Hôtel de Ville partageait avec l'Assemblée nationale et le Sénat, ces crédits consacrés au « train de vie » de la mairie ne présentaient pas toutes les garanties de transparence, c'est le moins qu'on puisse dire. Une enquête de l'inspection générale, diligentée à ma demande, a d'ailleurs mis en lumière des dysfonctionnements graves, ce qui m'a conduit à saisir la justice.

Surtout, sous l'impulsion de parlementaires socialistes parisiens – en particulier Patrick Bloche* et Christophe Caresche** à qui je l'avais demandé –, la majorité de gauche à l'Assemblée nationale a voté la suppression pure et simple de la questure. Voilà comment, à partir d'actes concrets, nous avons tenté de sortir du climat délétère qui, au fil des années, s'était imposé dans la capitale. Pas simple, car le chantier est vaste. Réformer, faire bouger les lignes, modifier les pratiques impliquent à la fois volontarisme et patience. Nous avons essayé. Aux Parisiens d'apprécier les résultats obtenus en trois ans.

Mais l'urgence des urgences, en mars 2001, c'était le budget. La précédente majorité municipale s'étant déchirée, aucun budget n'avait été voté pour l'exercice 2001. Les affaires courantes avaient été expédiées selon une procédure exceptionnelle, dite « par douzième » : chaque mois, l'équivalent d'un douzième des dépenses de l'année précédente était reconduit. C'était tout sauf de la gestion. Nous nous sommes

* Président du groupe socialiste au Conseil de Paris.

** Adjoint chargé de la prévention, de la sécurité et de l'organisation du Conseil de Paris.

donc tous mis à la tâche, élus, directeurs et collaborateurs coordonnés par Christian Sautter*. Nous avions douze jours pour boucler un projet de budget de plus de 5 milliards d'euros ! Le jour du vote, nous étions épuisés – mais heureux d'avoir pu affecter des crédits aux priorités présentées pendant la campagne. Par exemple, la lutte contre la pollution avec les premiers couloirs de bus qui, dès l'été 2001, bousculent l'ordre ancien... et provoquent les premières polémiques de cette mandature. Mais aussi l'accueil de la petite enfance, avec le lancement d'un plan de création de quatre mille cinq cents places en crèches en six ans, mis en œuvre par Olga Trostiansky**.

Paris souffre d'un manque criant en la matière. Les berceaux se sont donc imposés comme l'une des « obsessions » de la nouvelle équipe. À tel point qu'une unité financière originale revenait sans cesse dans nos débats : c'était « l'équivalent-crèche », soit environ 2,5 millions d'euros. Telle dépense correspondait à combien de crèches ? Et combien de crèches « valaient » telle coupe dans les crédits somptuaires ? Ainsi, je me souviens que, dès l'année 2001, les économies réalisées sur les réceptions s'élevaient à 1,7 million d'euros, soit « trois quarts » d'une crèche de soixante berceaux...

L'Hôtel de Ville n'a d'ailleurs pas échappé à cette nouvelle vague, accueillant une crèche et une halte-garderie dans sa partie la plus prestigieuse : les anciens appartements privés du maire. À l'issue de travaux relativement longs (ils se sont étalés sur dix-huit mois), cette mesure symbolique à laquelle je tenais

* Adjoint chargé du budget et du développement économique.
** Adjointe chargée de la petite enfance et de la famille.

particulièrement a pu être concrétisée. Depuis l'automne 2003, en arrivant à l'Hôtel de Ville, je souris en croisant les employés de la mairie qui viennent déposer leurs enfants dans la crèche de cinq cents mètres carrés aménagée au premier étage. Au rez-de-chaussée, une halte-garderie accueille sur deux cents mètres carrés les bambins des arrondissements voisins.

De symboles en changements progressifs, nous tentons donc d'avancer sur la voie d'une démocratie apaisée. Les adjoints, par exemple, ont trouvé parfaitement justifié de perdre la voiture de fonction personnelle avec chauffeur qui leur était affectée auparavant. Comme dans toutes les grandes entreprises, leurs déplacements professionnels sont désormais pris en charge par un pool de voitures. Quant à leurs déplacements personnels, ils les effectuent par leurs propres moyens. Les directeurs ont été conviés au même régime. Le parc automobile réservé aux élus et aux fonctionnaires a fondu de moitié, passant de deux cents véhicules à moins d'une centaine. Économie annuelle : 2 millions d'euros. Encore un effort, et cela représentera le coût... d'une crèche.

Pour ma part, je dispose du véhicule le moins polluant, une voiture électrique, dont j'avais pu éprouver les mérites pendant la campagne électorale. Ce qui me permet de taquiner amicalement mes adjoints verts, en particulier Yves Contassot et Denis Baupin, lorsqu'ils viennent avec moi dans ma voiture « nucléaire ». Le seul qui souffre un peu de ce choix est sans doute celui de mes deux sympathiques officiers de sécurité qui m'accompagnent depuis mon agression en 2002, et qui a un peu de mal à caser sa carcasse d'hercule sur la banquette arrière...

D'autres secteurs ont subi des coupes claires.

Gardant à l'esprit les leçons acquises dans mon expérience de chef de petite entreprise, j'ai demandé à Pierre Guinot-Delery, secrétaire général de la Ville, de renégocier tous nos contrats avec nos fournisseurs. C'est ainsi que, désormais, la facture du téléphone est allégée de plus de 4 millions d'euros. Et, pour l'année 2003, l'ensemble des économies de gestion s'élève à 30 millions d'euros.

Mais de telles évolutions ne suffisaient pas. Les Parisiens voulaient certes le respect du droit et un usage maîtrisé de leurs deniers. Mais ils souhaitaient aussi pouvoir se « mêler de leurs affaires », autrement dit, être associés à la vie de la cité, en influant sur les décisions. La *proximité* est un concept parfois galvaudé, alors qu'il désigne une vraie préoccupation.

C'est tout le propos de la décentralisation que la gauche a voulu impulser dès 1982. Il s'agissait de donner plus de pouvoir à l'échelon local. La centralisation ne s'accompagne pas seulement de bureaucratie, de lenteur et d'inefficacité. Elle a des conséquences plus graves encore, car elle décourage l'implication citoyenne des individus en plaçant une distance infranchissable entre eux et les décideurs.

À Paris, la décentralisation restait un vœu pieu. La loi dite PML (Paris, Marseille, Lyon) avait bien créé en 1982 des mairies d'arrondissement avec à leur tête un maire élu au suffrage universel. Mais ceux-ci ne disposaient que d'un pouvoir limité, quasi consultatif dans les faits. C'était la mairie centrale qui décidait de tout, y compris des questions d'intérêt local.

Dès le budget voté en avril 2001, nous avons créé une dotation financière spéciale : pour faire face à des travaux d'urgence dans les écoles ou les crèches, soutenir les manifestations culturelles de quartier ou encore publier un bulletin d'information locale. Puis, moins de deux ans plus tard, grâce à une réforme en profondeur conduite par François Dagnaud*, plus de mille équipements de proximité (écoles maternelles et élémentaires, bibliothèques, certains espaces verts, piscines, conservatoires...), ainsi que les ressources budgétaires correspondantes ont été confiés à la gestion des maires d'arrondissement. Ils ont obtenu en outre la capacité de négocier directement certains marchés. Jusqu'alors, ils devaient obligatoirement faire transiter leurs demandes, grandes et petites, par les directions de la Ville, et patienter parfois plusieurs mois avant d'obtenir un résultat.

Le rôle de l'arrondissement a donc été considérablement renforcé dans des secteurs aussi décisifs que l'éducation, la petite enfance, l'environnement, les équipements sportifs, l'animation culturelle ou la vie associative. Chacun peut maintenant trouver près de chez lui des responsables capables d'apporter des réponses à ses demandes.

De même, les usagers ont vocation à nous faire part de leurs points de vue lorsque surgit un éventuel différend avec l'administration ; c'est Frédérique Calandra** qui assume alors la nécessaire médiation entre les parties.

Pour redonner les clés de la ville à l'ensemble de ses habitants, il fallait aussi insuffler de la démocratie au niveau des quartiers, là où s'exprime un fort sentiment d'appartenance des Parisiens : on est de

---

* Adjoint chargé de l'administration générale, des ressources humaines, de la décentralisation et des relations avec les mairies d'arrondissement.

** Adjointe chargée de la médiation.

Bastille, de Belleville, ou de Saint-Germain-des-Prés, et ce n'est pas la même chose, disent les intéressés, que d'être de Montsouris ou de Montmartre. Le tracé actuel a beau résulter du découpage arbitraire des arrondissements au milieu du XIXe siècle, ces entités quelque peu factices à l'origine ont chacune accouché, au fil du temps, d'un esprit, d'un ton, d'un style, c'est-à-dire d'une véritable identité.

C'est à cette micro-échelle que nous avons tenté d'étendre la toile de la démocratie. Puisque les Parisiens vibrent pour les problématiques de leur quartier, c'est là que la démocratie doit s'installer. Avec Marie-Pierre de La Gontrie*, nous avons donc mis en place cent vingt et un conseils de quartier, répartis sur la totalité du territoire parisien. Ouverts à tout habitant quels que soient son âge et sa nationalité, ils discutent librement des problèmes locaux : sécurité aux abords des écoles, aménagement urbain, jeux pour les enfants ou les adolescents, stationnement, espaces verts, etc. Christian Sautter fait chaque année le tour de ces conseils pour y présenter le budget de la Ville.

Leur consultation sur tel ou tel sujet n'a rien de factice. Ces acteurs dynamiques de la démocratie locale ont ainsi formulé 11 350 propositions que nous avons intégrées à notre travail de préparation du Plan local d'urbanisme qui doit remplacer l'ancien POS (Plan d'occupation des sols) et fixer les règles d'aménagement pour les vingt ans à venir. À partir de cette réflexion, nous avons, avec Jean-Pierre Caffet**, élaboré la consultation organisée en mai et juin 2004,

---

* Adjointe chargée de la démocratie locale et des relations avec les associations.

** Adjoint chargé de l'urbanisme et de l'architecture.

sous la forme d'un document de présentation et d'un questionnaire détaillé mis à la disposition de tous les Parisiens.

Sur ce terreau fertile s'était d'ailleurs manifesté, dès la fin des années 1980, le ras-le-bol des Parisiens révoltés par des saccages décidés hors de toute concertation. De la ZAC du bas Belleville, qui prévoyait en 1988 de raser 95 % de l'habitat, à la friche de Paris-Rive gauche, en passant par les projets du quartier Sainte-Marthe, du faubourg Saint-Antoine, du marché des Enfants-Rouges, la machine à bétonner s'est systématiquement heurtée au mouvement associatif.

Ni conjuration ni même ensemble coordonné, ce mouvement a pourtant représenté durant toutes ces années le principal contre-pouvoir à l'exécutif parisien. Cette capacité à se mobiliser spontanément et à mener des combats longs et compliqués – l'association la Bellevilleuse a par exemple mis sept ans pour obtenir gain de cause – m'est apparue comme un des aspects modernes de la démocratie participative. Nous avons donc décidé la création, avant la fin de la mandature, d'une « maison des associations » dans chaque arrondissement. Les locaux, ouverts aussi le soir et le week-end, appartiennent à la mairie, mais ils sont gérés par les associations elles-mêmes avec le concours des élus.

Cette formule contribue à rationaliser les coûts en mettant des services en commun. Les associations peuvent s'y domicilier, se réunir, disposer de casiers de rangement, faire des photocopies à prix coûtant ou encore accéder gratuitement à des ordinateurs et à Internet. Dès l'année 2002, les maisons du XIIIe et du XXe arrondissement ont été ouvertes, accueillant plus de deux cents associations. Le mouvement se poursuit : sept maisons sont déjà opérationnelles.

Après mars 2001, j'ai voulu continuer à aller sur les marchés, comme je le faisais pendant la campagne. Au début, les habitants me regardaient parfois avec étonnement : « Mais les élections, c'est fini ! » Je répondais : « Justement ! Je ne voudrais pas perdre les bonnes habitudes. » Ce n'était pas une boutade. Rien ne vaut une relation naturelle et directe entre citoyens et élus.

C'est précisément le sens des comptes rendus de mandat que nous effectuons chaque année, dans les vingt arrondissements de Paris. Ainsi, ce sont dix à quinze mille personnes qui participent à ces rendez-vous et viennent interroger, proposer ou... m'engueuler. Tant mieux ! Q'ils s'expriment ! Lors des dernières élections régionales, je croise dans le bureau de vote un électeur qui venait d'accomplir son devoir. « Bonjour, monsieur le maire ! J'ai voté pour vous, vous savez. J'étais à votre compte rendu de mandat, cet hiver, vous vous souvenez ? Qu'est-ce que je vous avais mis ! » Eh oui, ils sont comme cela, les Parisiens. Mais inutile de chercher à fuir la contradiction. J'aime ces contacts, ces échanges, ces débats même s'ils sont parfois éprouvants.

Dans chaque compte rendu de mandat, nous consacrons d'abord une bonne heure à écouter les intervenants. Il suffit de lever la main pour obtenir le micro, chacun peut s'exprimer librement. Je note alors par écrit toutes les doléances, grandes ou petites. Les dépôts d'ordures sauvages, la construction des logements sociaux promis qui n'avance pas assez vite, le manque de bus sur la seule ligne qui traverse le quartier, les dealers qui continuent de sévir à tel carrefour, les places de stationnement rognées par les couloirs de bus, la disparition des commerces de proximité, etc. Pourquoi ne pas instaurer une taxe sur les voitures qui entrent dans la ville, comme à Londres ? Pourquoi ne pas englober les communes limitrophes ? Pourquoi ne pas rendre gratuites les toilettes publiques ? Interdire le bruit, les 4 × 4, les motards qui circulent à gauche, les autocars de touristes, les antennes-relais ?

Quand, à mon tour, je prends la parole, je tente de répondre point par point aux questions soulevées. Les problèmes ponctuels sont immédiatement signalés aux adjoints et aux collaborateurs présents : nous devons nous y atteler dès le lendemain. Souvent, il faut expliquer les limites de notre action : peu de personnes savent par exemple que la gestion des transports publics ne dépend pas de la mairie, ni celle des forces de police. Si la création de voies de bus en site protégé est bien de notre ressort, le nombre de bus qui sont affectés à chaque ligne, leur fréquence, leurs horaires relèvent en revanche de la RATP. Nous pouvons décider des amendes concernant la propreté des espaces publics, les colis abandonnés ou les crottes de chien, mais rien ne peut changer si les policiers chargés de dresser les contraventions ne sont pas mis en situation de le faire. Bien que la Ville contribue à hauteur de 240 millions d'euros au budget de la préfecture de police – 28 % en plus depuis mars 2001 – le maire ne dispose pas d'un véritable pouvoir de décision. Mais il peut user de son influence. Et je ne m'en prive pas.

Ces réunions sont parfois dures, agressives, voire injustes – pas toujours, heureusement, ni même le plus souvent. Mais un interlocuteur sincère qui ne mâche pas ses mots vaut mieux que celui qui détourne le regard ou se réfugie dans le silence.

Après la déroute électorale de 1993, la gauche a connu une période de grande impopularité. Comment parler aux gens, comment rétablir le contact, à défaut de la confiance ? Je disais alors à Daniel Vaillant, mon complice du XVIIIe : « Allons sur le terrain, quitte à nous faire souffler dans les bronches. Quand les gens auront vidé leur sac, nous pourrons commencer à discuter de l'avenir. » Il y a là une vertu démocratique, même si la grogne peut déborder, rendant alors tout dialogue impossible. La démagogie est toujours un risque lorsqu'on invite les citoyens à exprimer leurs sentiments (et parfois leurs ressentiments). Mais peut-on pour autant fermer les écoutilles ? Il faut écouter le mal-être, les besoins concrets même quand ils sont marqués par l'individualisme ou l'égoïsme. Sinon, comment et avec qui pourra-t-on élaborer un projet et un discours collectifs ?

Nos concitoyens ne sont dépourvus ni du sens de la relativité ni d'une volonté d'engagement réelle, dès lors qu'ils ont le sentiment d'être respectés. C'est là le socle de toute initiative en matière de démocratie participative. Paris compte par exemple trois cent cinquante mille jeunes qui n'ont pas vocation à être tenus à l'écart de la vie collective. Depuis 2002, les conseils de la jeunesse que nous avons créés dans chaque arrondissement avec Clémentine Autain, la plus jeune et l'une des plus attachantes de mes adjointes, se réunissent régulièrement. Des initiatives diverses ont été prises : organisation de bourses de l'emploi ou participation au Téléthon par exemple. Au printemps 2003, nous avons installé le conseil parisien de la jeunesse, composé de cent huit membres et doté d'un budget propre de 80 000 euros. Ces conseillers en herbe votent pour départager les projets élaborés au sein de cinq commissions thématiques. En 2003, ils ont ainsi financé une campagne de lutte contre la discrimination, une formation au premier secours destinée aux collégiens ou encore une fresque itinérante.

Une autre structure dédiée à la démocratie participative a vu le jour à Paris. Elle concerne les citoyens étrangers qui ne sont pas issus de la communauté européenne : environ deux cent mille personnes – 10 % de la population globale – qui vivent, travaillent et paient des impôts dans notre ville, parfois depuis fort longtemps. Pourtant, ils ne disposent pas du droit de vote.

Dès 2001, nous avons donc, avec Khadidja Bourcart*, mis en place un conseil des résidents non communautaires, que je préside. Il est composé de soixante hommes et soixante femmes, représentant trente-cinq nationalités et appartenant à des secteurs socioprofessionnels très divers. Ce conseil est doté d'un budget de 73 000 euros, attribué dès l'exercice 2002. La tâche de ces conseillers bénévoles consiste là encore à faire des propositions, qu'il s'agisse de la vie des étrangers de Paris ou de celle des Parisiens en général, propositions qui sont examinées par le Conseil de Paris. Elles ont porté, par exemple, sur l'accès aux services de la Ville sans discriminations, l'apprentissage du français ou l'amélioration de la signalisation dans les transports.

Cette instance fonctionnera jusqu'à ce que les

* Adjointe chargée de l'intégration et des étrangers non communautaires.

ressortissants hors CEE obtiennent le droit de vote aux élections locales. Comme beaucoup à gauche, je suis résolument partisan de ce droit. Il est évoqué dans toutes nos réunions publiques, déclenchant des applaudissements enthousiastes. Mais, sous cet unanimisme de bon ton, chacun se demande à voix basse pourquoi ce droit n'a pas déjà été accordé. Pourquoi la gauche, quand elle était au pouvoir, n'a pas fait le nécessaire ? Chaque fois que j'aborde le sujet, je veille à préciser les véritables enjeux : le droit de vote des étrangers nécessite une réforme de la Constitution. Or, en l'état actuel de notre système, il existe deux – et seulement deux – façons de procéder : soit par un vote positif des trois cinquièmes du Parlement, c'est-à-dire Assemblée et Sénat réunis ; soit avec une majorité de « pour » à un référendum, qui ne peut être organisé qu'à l'initiative du Président de la République.

Chacun voit bien que la première voie n'est pas praticable, en tout cas, pas dans un futur proche, même si une majorité de l'Assemblée nationale y était favorable. Quant au référendum, à quoi servirait-il s'il est condamné par avance ? Combien de Français sont pour le droit de vote des étrangers aux élections locales ? Ils étaient très minoritaires sous François Mitterrand, et c'est ce qui l'a retenu. Il l'aurait sans doute perdu, la question étant alors repoussée pour très longtemps. Que faire, alors ? La réponse est double. Nous devons demander à notre candidat à l'élection présidentielle de 2007 de s'engager à organiser un référendum. Mais nous devons parallèlement nous engager nous-mêmes à convaincre une majorité de citoyens. Il ne suffit pas de proclamer : « Nous voulons. » Il faut assurer les conditions du succès.

Sans quoi, nous nous donnons bonne conscience sans faire avancer réellement une réforme majeure.

Peut-on dire aujourd'hui que le climat démocratique ait changé à Paris ? Chacun constate en tout cas que l'actualité municipale ne défraie plus la chronique judiciaire. Depuis les municipales de 2001, la population globale est constante, mais cent vingt-deux mille personnes supplémentaires se sont inscrites sur les listes électorales, soit une augmentation de 13 %. Quant à la participation, elle a progressé, elle aussi, de 11 % aux élections régionales de 2004. L'abstention n'est pas tant un signe de désintérêt vis-à-vis de la démocratie qu'une réaction de déception, voire de rejet.

Pour autant, gardons-nous de toute autosatisfaction. Les Français sont des électeurs exigeants. Il suffit d'un moment de relâchement, d'un flottement, d'un peu de désinvolture, et c'est la sanction des urnes. Nous aurons toujours besoin de pugnacité, d'imagination, d'écoute. Et de vérité.

Dans la France troublée du XXe siècle, un homme a incarné la plus haute exigence morale en politique : Pierre Mendès France. « L'élément fondamental du système démocratique, disait-il, c'est la vérité. S'il n'y a pas d'honnêteté de la part de ceux qui jouent un rôle dans le jeu des institutions, il ne peut y avoir de démocratie. » Ce n'est pas un hasard si, en 1936, il a été le seul député à se prononcer contre la participation de la France aux Jeux olympiques de Berlin organisés par le régime nazi. Intransigeant, Mendès l'était assurément. Mais quelle puissance quand le message n'est entaché d'aucune compromission ! Et tant pis si, en janvier 1956, cela conduit de tristes politiciens à lui barrer la route du pouvoir alors que les candidats se réclamant de lui viennent de gagner les élections. François Mauriac, lucide observateur de son époque, résume : « Les virtuoses de l'erreur ont encore frappé. » L'Histoire s'est empressée de les oublier. En revanche, elle a installé Mendès France au panthéon de la démocratie, lui qui n'a exercé la charge de président du Conseil que sept mois. Il a été un homme d'État visionnaire, résistant, décolonisateur, européen, ami du tiers-monde, artisan inlassable du dialogue israélo-palestinien et premier leader de gauche à tenter de concilier justice sociale et efficacité économique.

Mendès demeure, pour les progressistes, une valeur absolue, une référence. Sans doute parce que, mieux que nul autre, il a su concilier la vérité avec les exigences de la vie collective. Aucune organisation sociale ne peut faire l'économie de rapports de forces, de dureté, de froideur, voire de calcul. Mais le cynisme n'est pas une fatalité. Le mensonge, la démagogie, la manipulation, le trucage rongent la confiance.

La démocratie se nourrit au contraire des combats pour la vérité et d'abord face aux épisodes dérangeants de notre histoire : la collaboration avec le nazisme, le colonialisme, la torture en Algérie, la déportation des homosexuels...

La vérité est un guide dans l'action quotidienne. Oui, le combat politique doit être, en quelque sorte, un combat moral. Moral parce qu'il s'agit d'une quête collective – transparente, juste, authentique – et non pas parce que ceux qui la mènent seraient des individus plus vertueux que les autres. Ce sont des êtres humains comme les autres, avec leurs faiblesses et leurs fragilités, et je ne pense pas qu'il faille attendre de trouver un saint doublé d'un sage pour voter pour lui. Nos élus sont imparfaits. Cela n'empêche pas d'exiger que, dans leurs responsabilités publiques, ils soient irréprochables. Ce que résume Lionel Jospin quand il déclare : « Le pouvoir politique ne doit pas être idéalisé. Le critiquer s'il défaille, c'est défendre la démocratie. Le discréditer par principe, c'est le fragiliser. »

La transparence doit donc être un objectif constant. Bien sûr, assumer la vérité peut être compliqué, parce qu'elle est souvent cruelle, particulièrement face aux grandes questions de société. C'est le cas de l'euthanasie, où le rapport du collectif à l'individuel porte sur l'essentiel, c'est-à-dire sur la vie et la mort. Nous avons peur de ce débat d'abord parce que nous avons peur de la mort. Pour ma part, si ma fin ne me préoccupe pas spécialement, la mort de ceux que j'aime me terrifie. Et j'en parle en connaissance de cause.

Toutes les sociétés ont une représentation de cet absolu, elles tentent toutes de l'apprivoiser à travers des rites. Je trouve infiniment respectable cette quête des êtres humains confrontés à leur radicale faiblesse. Et qui le veut peut bien choisir une explication surnaturelle. À l'heure où les conquêtes de la science promettent une vie de plus en plus longue, la vieillesse qui s'étire nous pose plus que jamais la question de la fin de vie. Qu'elle soit exprimée ou éludée, comment l'évacuer de nos réflexions ?

Certes, la société doit d'abord offrir de meilleurs services aux personnes âgées. Très concrètement, dans les prochaines années, il faudra développer l'aide personnalisée, tout ce qui permet de rester chez soi : pour les travaux ménagers, pour s'habiller, se laver, pour ne pas être seul. Mieux vaut, toujours, demeurer dans son environnement, façonné par le temps, que se retrouver à l'hôpital ou dans une résidence, sauf quand l'état de santé l'exige. Décider librement, si c'est possible. C'est un devoir de la collectivité. L'allocation personnalisée d'autonomie montre la voie. À Paris, vingt mille personnes en bénéficient, qui ne disposaient d'aucun secours auparavant.

Mais arrive le moment où il faut affronter la fin de vie de ses proches – et la sienne. Mieux vaut le faire les yeux grands ouverts. Bien sûr, on ne peut contraindre personne à se pencher sur cette question. Mais les progrès de la médecine nous obligent à nous interroger sur la durée de l'« acharnement thérapeutique ».

Tout cela a bien un rapport avec le droit de choisir sa mort. Question délicate sur l'opportunité d'adopter une loi. Selon Robert Badinter, on ne gagne rien à légiférer parce que l'eugénisme nous guette. Bernard Kouchner, lui, pense qu'il faut envisager des exceptions, mais pas de loi. Je ne suis d'accord ni avec Badinter, pour lequel j'éprouve par ailleurs une grande admiration, ni avec Kouchner, même si je le comprends mieux. Je crois d'abord que le problème doit être abordé courageusement : il faut poser la question de la douleur. À un certain degré d'intensité, l'imposer est inhumain. La douleur peut être pire que la mort. Le cas de Vincent Humbert est très révélateur. Dans l'état actuel de la loi, sa mère et son médecin sont considérés comme des criminels, ils l'ont tué. Or la société lui disait : tu dois souffrir. Le médecin a voulu parler vrai : « On aurait pu dire que Vincent a fait une complication, un arrêt cardiaque. On sait très bien mentir, on le fait régulièrement, et on aurait pu continuer dans cette traditionnelle hypocrisie. » Ils ne seront sans doute pas condamnés, mais, aux yeux de la loi, ils devraient l'être. D'où l'urgence d'ouvrir le débat.

Il y a des moyens de se protéger contre l'eugénisme. Pour cela, il faut reconnaître la fragilité des frontières, ce qui implique des précautions particulières. Aux Pays-Bas et en Belgique, l'euthanasie est légale, assortie de règles : on s'assure que la personne s'est exprimée librement, que tous les soins palliatifs ont été préalablement proposés ; deux avis médicaux sont requis. Résultat : le nombre de cas a diminué. Ajouter un droit ne signifie pas que les droits existants – ou la société – régressent. Le pacs ne fait pas baisser le nombre de mariages, au contraire. Le respect des convictions philosophiques et religieuses doit être posé comme une exigence absolue. De même que personne n'est obligé de pratiquer l'IVG, personne ne peut être poussé vers l'euthanasie.

Mireille Jospin a décidé, le jour venu, d'assumer sa mort en conformité avec sa vie et ses engagements. Il y a quelque chose de beau dans la cohérence d'une vie et dans la fidélité jusqu'au dernier instant à des convictions. À l'âge de quatre-vingt-dix ans, elle militait encore, défendait les maternités et les sages-femmes. Je me souviens d'une anecdote, presque un conte africain, que m'avait racontée sa fille, Noëlle Châtelet, et qui illustre magnifiquement sa générosité. À quatre-vingt-six ans, elle était partie avec une équipe bénévole au Mali pour aider des femmes à accoucher dans des lieux totalement isolés, sans eau ni électricité. Elle avait fait promettre à ses enfants qu'au cas où il lui arriverait quelque chose là-bas ils ne rapatrieraient pas son corps, qu'ils le jetteraient aux crocodiles ! Un brin de coquetterie sans doute, mais un peu éprouvante pour ses proches...

Mireille était un esprit indépendant. Avec Robert, son mari, ils étaient laïcs, intelligents, cultivés et sûrement de sacrés caractères. C'est cette femme farouchement indépendante qui a choisi de quitter la vie avec une liberté qui force le respect. En décidant de partir avant d'être trop diminuée et dépendante, en assumant et en expliquant son choix. Militante d'une association pour le droit de mourir dans la dignité, elle est morte comme elle avait vécu : fidèle à ses valeurs.

J'ai connu cette expérience, aussi complexe que douloureuse, avec ma mère. Catholique fervente, elle meurt catholique. Pendant les soixante-dix-sept années de sa vie, elle impressionne son entourage par son courage, la haute exigence morale de tous ses choix. Ses quatre enfants, qui ont tous éprouvé l'ampleur de sa personnalité, lui vouent une tendre affection imprimée d'admiration. Elle les aime plus que tout. Infirmière, elle connaît sa maladie, la polyarthrite aiguë. Elle sait l'ampleur des souffrances qui l'attendent, elle sait comment cela s'achève. Elle informe ses enfants que, le moment venu, elle demandera l'aide d'un médecin. Elle ne va pas encore trop mal, et je me souviens de lui avoir dit : « Tu as raison, c'est normal que tu y réfléchisses, c'est ton droit. » Le moment venu pourtant, cela ne s'est pas passé comme je l'imaginais. Moi, le rationaliste, je me suis cabré de toutes mes forces. Bernard, son médecin, son ami, a eu beau me rappeler ma promesse, je ne supportais tout simplement pas de laisser ma mère mourir. Et pourtant elle était alitée depuis des semaines, elle pesait vingt-cinq kilos, ses os tombaient en poussière, et, depuis si longtemps, elle souffrait le martyre. Il m'a fallu vingt-quatre heures pour revenir à ce principe de base, si cruel à ce moment-là : c'était à elle de décider, même si je savais toute la violence du chagrin qui allait m'envahir.

Face à la souffrance, à la conscience des individus, à la compréhension qu'ils en ont, à leur lucidité, au nom de quoi la société aurait-elle le droit d'interdire ou de sanctionner ? Nous nageons en pleine hypocrisie. Une société intelligente s'honorerait en posant le débat dans toute sa complexité, en tenant compte des tabous et de notre conception de la vie. Ensuite, il faudra légiférer. Définir un cadre, des règles, des principes, des limites, ce qui est le fondement même de la vie démocratique. Mais la loi ne doit s'appliquer que quand tout le champ des soins palliatifs a été exploré, même si ces derniers ne peuvent tout résoudre. Assumer le débat est d'autant plus indispensable qu'en son absence ce sont des médecins, des infirmières, des aides-soignantes qui se trouvent condamnés à prendre leurs responsabilités, en conscience. L'hypocrisie érigée en mode de gouvernance...

Aux Pays-Bas, on est passé de 2 123 cas recensés en 2000 à 2 054 en 2001, l'année de la loi, et à 1 882 en 2002. Dans l'affaire Vincent Humbert, suffisait-il d'exprimer compassion et solidarité ? Ce drame ne constitue-t-il pas l'électrochoc par excellence qui contribue parfois à ce qu'une société, engourdie dans ses propres malaises, ose s'éveiller et affronter le réel ?

Une chose est certaine : nous n'échapperons pas à de tels questionnements. Là encore, la démocratie n'est jamais aussi stimulante que lorsqu'elle se confronte aux sujets les plus sensibles qui naissent des réalités contemporaines. En ayant à l'esprit ce constat d'Oscar Wilde : « La vérité est rarement pure et jamais simple. »

7

Spiritualité(s)

Sous les lustres de cristal qui font scintiller les dorures de la majestueuse salle des fêtes, la musique orientale résonne. Les chants soufis se mêlent au tango libanais, le blues-raï aux rythmes chaoui ou chaābi algériens... Ce 22 novembre 2003, des milliers de musulmans de Paris sont venus célébrer le ramadan dans les salons de l'Hôtel de Ville. À treize mètres du sol, une profusion de solides beautés dénudées grandeur nature soutiennent le plafond rococo – nymphes lançant des fleurs, couples enlacés pour une danse, dames alanguies dans des robes vaporeuses et ultradécolletées. Loin de se formaliser de ce décor gourmand et sensuel, les invités se laissent entraîner au rythme des darboukas. Et, bien que le buffet ne comporte ni vin ni champagne, une certaine ivresse gagne l'assemblée.

C'est la troisième fois déjà que j'ai le plaisir d'ouvrir l'Hôtel de Ville à cette célébration. Quand j'ai été élu maire de Paris, j'ai voulu mettre fin à une anomalie : des réceptions étaient organisées lors des grandes fêtes d'origine religieuse comme Noël ou Hanoukka – jamais pour le ramadan ou l'Aïd el-Kébir. En 2001, cet « oubli », symptomatique du peu d'intérêt qu'inspiraient nos concitoyens musulmans, a été réparé. Je les reçois donc chaque année pour partager avec eux la fête qui commémore la révélation du Coran.

Dès la première édition de cette veillée de ramadan à l'Hôtel de Ville, les autres confessions étaient présentes. L'archevêque de Paris a envoyé un représentant, de même que les autorités protestantes. Le grand rabbin de Paris, David Messas, et le rabbin Samuel Sirat sont venus en personne, tout comme Moïse Cohen, président du Consistoire. Je me souviens de la mine stupéfaite d'un jeune Black, qui m'a abordé ce soir-là : « Même les rabbins sont venus fêter le ramadan ! » s'exclamait-il, incrédule et ravi. En 2003, l'ambassadeur d'Israël côtoyait les ambassadeurs des pays arabes. Mon discours insistait sur la fraternité des croyants quand ils écoutent le message profond de leur foi, le dialogue des religions et l'égale considération que notre société doit à chacune, pour ajouter aussitôt : « Mais attention, n'oubliez pas le respect dû à ceux qui ne croient pas. Ils ont exactement les mêmes droits que vous à vivre leurs convictions. » Je n'ai pas caché que j'étais de ceux-là.

J'ai grandi dans une famille où le rapport au religieux était pour le moins contrasté : une mère très pieuse et un père clairement athée. Sans doute dois-je à cette double influence mon attachement à la coexistence harmonieuse des choix philosophiques les plus divers. Mon rationalisme ne se définit pas par un conflit avec la spiritualité. La tolérance, valeur enrichie par l'expérience et la réflexion, est d'emblée constitutive de mon rapport aux questions religieuses.

Enfant, j'ai ressenti une foi sincère, bercée par la musique sacrée : depuis l'âge de cinq ans, je chantais dans une célèbre chorale, membre de l'association internationale des Petits Chanteurs à la croix de bois. Le fondateur, Mgr Maillet, avait créé des « filiales » dans plusieurs pays, mais deux seulement étaient estampillées « Petits Chanteurs à la croix de bois » : la manécanterie des Neiges, au Canada, et la manécanterie des Sables, en Tunisie. J'ai fait partie de cette dernière, et j'ai été sensibilisé très jeune à la beauté de l'*Alléluia*, de Haendel, de l'*Ave Verum*, de Mozart, et des cantates de Bach.

Quarante ans plus tard, cette initiation continue de me donner de grandes joies. Une place de Paris porte le nom de Mgr Maillet, dans le XIXe arrondissement, près de la place des Fêtes. J'ai participé en février 2003 à un hommage qui lui fut rendu en présence de Petits Chanteurs de tous âges – de dix à quatre-vingts ans. Mon enfance bizertine a resurgi, mêlant l'éclat du soleil et l'émotion du chant sacré. Quelques semaines plus tard, j'assistais à la célébration des Rameaux dans la magnifique église Saint-Gervais, située derrière l'Hôtel de Ville. Construite pour l'essentiel au XVe siècle, elle procure une impression de gravité teintée de légèreté. La Ville avait consenti un gros effort – 3,3 millions d'euros – pour la restauration de la façade et des vitraux. L'office, dénué de toute ostentation, était célébré par la communauté monastique de Jérusalem. Les moines et les moniales, assis à même un tapis de corde, venaient des quatre coins du monde, Asie, Amérique du Nord ou Afrique, menant une existence austère et souriante, partagée entre la contemplation et une activité professionnelle à mi-temps. Leurs chants étaient superbes, portés par cette authenticité absolue qui m'impressionne tant depuis mon enfance.

Le parcours de Joëlle, ma sœur, m'a beaucoup marqué. Quand nous avons quitté la Tunisie, elle a décidé de faire son noviciat dans un couvent de Rodez. Quelques années plus tard, elle a pris le voile.

Je trouvais cet engagement beau et profond, j'étais conscient que sa vocation était sincère, mais je n'approuvais pas son choix. Elle avait vingt ans, j'en avais quatorze et je me faisais du souci pour elle, pour son bonheur. Ce geste n'était-il pas trop lourd, trop grave, ne fermait-il pas trop de portes ? Tout en éprouvant une grande considération pour sa décision, que je savais libre, j'ai eu beaucoup de mal à l'accepter, et nous en avons interminablement discuté. Je me souviens de l'émotion qui m'a envahi lors de la cérémonie que l'on appelle la « prise d'habit », quand ma sœur, parmi d'autres novices, a déclaré qu'elle quittait le monde, qu'elle se consacrait tout entière à Dieu et à la religion. Elle s'éloignait de nous, de sa famille – à mon avis, de la « vraie » vie –, et je me demandais avec angoisse si la distance ne deviendrait pas un jour infranchissable. Ce fut aussi un moment d'une grande noblesse, éclairé par la générosité et l'idéalisme de ces jeunes femmes que j'admirais sans partager leur foi.

Depuis l'âge de quinze ou seize ans, en effet, j'avais cessé de croire. La grande piété de ma mère, l'éducation religieuse des écoles catholiques que je fréquentais n'avaient plus de prise sur moi. Peut-être était-ce l'effet d'une certaine révolte vis-à-vis du modèle ultracatholique dans lequel j'avais été élevé. Ou bien s'agissait-il de l'influence tardive de mon père, athée virulent, qui ne faisait pas mystère de ses opinions.

Ce sont plutôt la curiosité, la raison et mes lectures qui m'ont éloigné de la foi de mon enfance. À Rodez, le prêtre qui était chargé du catéchisme devait subir mes grands raisonnements. À l'institution Sainte-Marie, j'assistais à ses cours – qui étaient obligatoires – mais je refusais de mettre mes convictions dans ma poche : je contestais systématiquement les dogmes et les notions religieuses qu'il tentait de nous inculquer.

Plus tard, la direction souhaitant se montrer « libérale », le catéchisme est finalement devenu facultatif, et j'ai cessé d'y aller. Je pensais que le catéchète en serait soulagé. Quelle n'a pas été ma surprise quand il a demandé à ma mère : « Pourriez-vous convaincre Bertrand de revenir en cours ? Et, surtout, qu'il ne renonce pas à ses idées, parce qu'elles mettent de l'ambiance dans une classe un peu amorphe. » J'avais quinze ou seize ans, et j'exigeais d'être traité comme quelqu'un de responsable : « Qu'il me le dise à moi ! » ai-je répliqué. Nous en avons donc parlé, et je suis retourné dans sa classe pour y tenir, avec son accord, le rôle du contradicteur athée. Nous étions à la veille de Mai 68, et ces questions me passionnaient. J'aimais poursuivre des conversations animées avec l'abbé Ginesty, chaleureux, exigeant et attentif, qui avait été notre aumônier chez les scouts.

Malgré ses opinions tranchées, mon père m'avait montré l'exemple d'une attitude plutôt ouverte et urbaine. C'était un athée de droite : un homme d'ordre, très patriote, ultraconservateur et férocement anticlérical. Mais il avait du respect pour l'authenticité de la foi. Avec quelle fierté et quel amour il se promenait à Auch, où son athéisme militant était pourtant connu, au bras de sa fille en habit de religieuse ! C'est dans cette petite ville du Gers, à plus de deux cents kilomètres de Rodez, qu'il s'était installé après avoir quitté la Tunisie et s'être séparé de ma mère. Heureux, le père et la fille profitaient de ces trop rares moments de bonheur partagé. Instants magiques où je ressentais de manière aveuglante la vanité des a priori idéologiques ou des conflits sur fond de convictions religieuses.

Plus tard, à la demande de ma sœur, cette fois, j'ai accompagné mon père à Frontignan où elle était institutrice. La mère supérieure, sœur Joseph, je crois, une femme dotée d'une forte personnalité, nous a fait dire qu'elle souhaitait nous avoir à déjeuner avec la communauté des sœurs. « Pourquoi pas ? » a dit mon père. Lors de ce repas, je me souviens qu'il était au milieu de toutes ces saintes femmes comme un coq en pâte. Ma sœur ayant fait vœu de pauvreté, il ne pouvait pas lui faire de cadeaux. Il avait donc apporté une encyclopédie en plusieurs volumes et quelques douceurs pour la congrégation. Il a passé un très agréable moment à bavarder avec les religieuses, charmées. À la fin du repas, sœur Joseph, qui connaissait ses opinions, lui dit : « Monsieur Delanoë, nous vous avons accueilli avec plaisir. Et je crois que vous-même, vous ne vous êtes pas trop ennuyé. Avouez que la nouvelle famille de votre fille n'est pas si antipathique ! » Et mon père de se récrier : « Comment ! Mais je la trouve formidable, cette belle-famille ! Non, le problème, c'est mon gendre. C'est avec lui que je n'y arrive pas... »

Quelques années plus tard, Joëlle a quitté le couvent. Malgré cette rupture – un acte aussi libre que l'avait été son entrée en religion –, elle n'a rien renié de sa foi. Elle s'est mariée, elle a eu des enfants et a poursuivi sa vie professionnelle comme enseignante dans une école catholique. À sa façon, elle a recueilli l'héritage de nos parents, fait d'autant de ferveur que de liberté.

De manière différente, je tente de rester fidèle au même legs. En cessant de croire en Dieu, je n'ai pas pour autant rejeté mon éducation. Les formations imprégnées de spiritualité sont précieuses. Elles apportent naturellement les valeurs morales et les règles qui préparent à la vie en société. Loin de moi l'idée qu'une éducation non religieuse, animée par les seuls principes de la raison et de l'esprit critique, n'y pourvoirait pas : je connais des personnes qui ont été élevées dans un esprit philosophique dénué de transcendance et qui sont animées d'une morale très exigeante. Dans mon cas, il se trouve que c'est l'éducation catholique qui a forgé mes principes moraux.

En mûrissant, j'ai cessé de me déclarer athée. Depuis l'âge de trente ans, j'ai l'habitude de me définir comme un « agnostique à tendance athée ». Être agnostique n'est pas pour moi une façon de laisser la porte ouverte à la croyance. Non, c'est une façon d'assumer une faiblesse et une inconnue : je ne peux en effet rien démontrer de l'existence ou de l'inexistence de Dieu. L'histoire de la science est celle d'une formidable conquête de savoirs, mais il semble illusoire d'imaginer qu'un jour l'homme les maîtrisera tous. Croire que la marche des sciences aboutira forcément à la Vérité ultime, qu'au bout du chemin nous découvrirons le fin mot de l'existence, c'est encore proclamer une sorte de dogme.

L'intelligence humaine est certes capable de découvrir des vérités, mais elle reste limitée face à un réel illimité. Le caractère partiel de toutes nos connaissances me conduit à cette position d'humilité, et donc à l'agnosticisme.

Pourquoi « à tendance athée » ? Parce que c'est de notre quête d'absolu et de notre besoin de croire que découle la religion. L'esprit humain cherche à trouver une cause, une origine, un sens aux mystères de la nature. L'homme s'est inventé des dieux parce qu'il n'arrivait pas à expliquer tout du réel. Ce n'est donc pas l'homme qui est une créature de Dieu, c'est l'inverse : tout dieu est une expression parfois magnifique de notre faiblesse, et c'est en quoi je suis un athée.

Mais tout mon parcours fait de moi un athée paradoxal, qui ne cesse de se passionner pour l'aspiration spirituelle. J'éprouve un grand respect à l'égard de cette tension permanente de la pensée qui pousse à se mesurer aux questions les plus essentielles, à explorer les sphères les plus hautes de l'être, à affronter l'absolu, l'éternel, l'ultime. Conscients de leurs limites, de l'inconnu de leur fin, les hommes recherchent sans relâche une explication au monde, à la vie, à ce qu'ils ignorent. La culture est le produit de cet effort pour donner un sens à l'univers et trouver une place en son sein. C'est la source de grands trésors de notre civilisation. Pourquoi Michel-Ange, l'abbaye Sainte-Foy de Conques ou le chant grégorien atteignent-ils un tel degré de beauté ? Ne serait-ce pas précisément l'effet de la croyance dans un ordre supérieur, et de l'élan pour l'atteindre ? En inventant ces cimes, l'homme se grandit. Lorsque l'art et le sacré se mêlent, on frôle le sublime. L'irrationnel, qu'il soit ou non d'origine religieuse, est aussi source de création.

Les hommes s'inventent des dieux, des cosmogonies, des transcendances. Mais la spiritualité n'est pas réservée au domaine divin. Faire appel à ce que Mitterrand appelait les « forces de l'esprit », ce n'est pas postuler nécessairement l'existence du surnaturel, mais bien la capacité de chaque être humain à créer du sens, de la beauté, du lien et de l'amour. Individuellement, nous sommes esprits. Humanité, nous sommes esprit aussi, car notre espèce s'interroge depuis toujours sur sa destinée. L'inconnu nous attire irrésistiblement, nous y investissons une quantité colossale d'intelligence et de passion. Mais je crois que l'on peut puiser de la force dans la reconnaissance de sa propre faiblesse : on peut accepter de mourir, alors, sans connaître le secret des choses.

La spiritualité est cette dimension essentielle de la civilisation qui a généré les mythologies, les sagesses, les religions, le sens de l'autre. Sans elle, nous ne serions que des consommateurs, ou des jouisseurs. Même si l'explication surnaturelle ne me convainc pas, je préfère ceux qui cherchent à ceux qui s'enferment dans le cynisme ou un pur matérialisme.

Idéaliste impénitent, je crois que la confrontation des spiritualités est une source de richesse. N'existe-t-il pas une parenté profonde entre les grands mystiques, fussent-ils de religions différentes ? Souvenons-nous de saint François d'Assise : plus qu'aux théologiens de l'Inquisition, ne fait-il pas penser aux contemplatifs soufis de l'islam ou, plus loin encore dans le temps et dans l'espace, aux maîtres bouddhistes ? Aujourd'hui, les antagonismes monopolisent malheureusement les consciences. À voir comment va le monde, on peut se demander si Samuel Huntington, le théoricien du « choc des civilisations », ne finira pas par avoir raison. Je ne m'y résigne pas. Le désastre actuel ne doit pas éclipser le travail, beaucoup moins spectaculaire, mais fondamental et facteur d'espoir, qui s'accomplit entre d'innombrables personnes de bonne volonté, venues de tous les horizons. Et je me réjouis que ce dialogue interreligieux s'ouvre aujourd'hui aux non-croyants.

Il existe un lieu où vibre l'esprit des trois monothéismes : Jérusalem. J'ai beau être non croyant, je suis profondément ému par la spiritualité de cette ville. Contrairement à ceux des fidèles de différentes confessions qui ressentent cette ville à travers ses conflits, j'y vois plutôt des occasions de rencontres, de mélanges. Je trouve magnifique que l'esplanade des Mosquées soit imbriquée au mur des Lamentations, à deux pas du Saint-Sépulcre et du chemin de Croix qui traverse la ville musulmane et la ponctue de toutes ces stations dont mon éducation a été nourrie. Cette symbiose des monothéismes me frappe. Même lors de mon dernier voyage en novembre 2003, où la situation était si tendue, j'ai ressenti un plaisir – si j'ose dire – intense à voir à quel point toutes ces dimensions sont entremêlées, toutes ces sacralités soudées. Si j'étais croyant, je serais tenté de penser que cette proximité même est un signe, qu'elle a été imposée aux hommes comme un immense défi à surmonter, comme une épreuve divine. Comme si Dieu avait voulu dire : « Par cet entrelacs, je vous ai conçus indissociables les uns des autres. »

La première fois que je me suis rendu à Jérusalem, en 1983, je suis allé au mur des Lamentations. À l'époque, l'atmosphère était plus détendue qu'aujourd'hui, le mur n'était pas bouclé par les forces de sécurité. Ce jour-là, deux bar-mitsva se tenaient simultanément, une ashkénaze, l'autre séfarade. Elles étaient très dissemblables, et la seconde ressemblait incroyablement aux fêtes musulmanes de circoncision, youyous compris, telles que je les avais connues en Tunisie. Je me suis mis à rêver – mais l'Histoire ne m'a pas donné raison – que les séfarades, si proches culturellement des Arabes, soient les artisans du rapprochement entre ces peuples.

J'aime passionnément ce lieu mystique dont les belligérants s'acharnent à massacrer l'esprit. Je comprends la passion qu'éprouvent pour cette ville les juifs, les musulmans et les chrétiens. Je ne comprends pas leur haine, car ils me sont indispensables ensemble. N'appartenant à aucun camp, je me sens libre dans tous. N'ayant pas à choisir entre les différentes révélations, je me sens héritier de leurs cultures, de leur quête, des trésors qu'elles ont donnés à la civilisation.

Mécréant sensible à toutes les aspirations spirituelles, la discrimination qui frappe l'islam dans notre société me choque. Dans mon rôle de maire, je n'ai aucunement l'intention de négliger les religions enracinées dans notre histoire. Participant aux fêtes chrétiennes, j'ai lancé avec joie, pour Noël 2002, les illuminations de Notre-Dame en compagnie de Mgr Lustiger et j'assiste aux *Te Deum* commémorant la Libération de Paris. Tout aussi heureux de participer au dîner du Consistoire dans les salons de l'Hôtel de Ville, je me fais un devoir d'aller dans les synagogues pour la fête du Kippour. Bref, respectant scrupuleusement la tradition, je tiens seulement à ne pas exclure la deuxième religion de France. Au nom de tous les Parisiens, je vais désormais dans les mosquées partager les fêtes de nos concitoyens musulmans.

Cette attitude ne me demande pas d'effort particulier. Quel est le principe républicain qui me permettrait de privilégier telle religion et de négliger telle autre ? Il est grand temps de traiter avec respect toutes les confessions. Cette approche ne remet nullement en question le principe de laïcité auquel je suis très attaché. Au contraire : la laïcité bien comprise est pour moi celle qui favorise la liberté pour chacun de croire ou de ne pas croire, et, pour les croyants, la liberté de pratiquer la religion de leur choix. À Paris, c'est une laïcité bien partiale qui a longtemps prévalu : mes prédécesseurs ont opposé une fin de non-recevoir à toutes les demandes de construction de nouvelles mosquées. N'en existe-t-il pas déjà une superbe, place du Puits-de-l'Ermite, dans le Ve arrondissement ? répondait-on aux associations cultuelles. Mais la Grande Mosquée est largement insuffisante, et elle est située loin des quartiers où vivent la plupart des musulmans. Pourquoi seraient-ils privés du droit de bâtir des lieux de culte ? Quelle honte que des Français ou des étrangers vivant dans notre pays soient contraints de se réunir dans d'anciens entrepôts, abattoirs, boutiques, appartements, voire dans des caves, pour prier ! La France républicaine veut-elle réellement fabriquer un islam des catacombes ? Souhaitons-nous que cette piété se radicalise sous l'effet de l'humiliation ?

Décidé à réagir contre cet ostracisme, j'ai accordé assez rapidement le permis de construire pour une mosquée dans le XIXe arrondissement, suggérant même aux initiateurs du projet de veiller particulièrement à l'aspect esthétique, ce qui ne manquera pas de rejaillir positivement sur l'image de la religion musulmane. Il s'agit de la communauté de la rue de Tanger, actuellement installée dans un ancien local d'activités, inadapté et laid. Elle est dirigée par des responsables appartenant à une tendance orthodoxe mais très ouverte. Depuis de nombreuses années, ils organisent dans leurs locaux des conférences, des débats et des colloques auxquels participent des universitaires et intellectuels de premier plan.

Mais, avant cette décision, j'ai voulu m'assurer que nous n'avions pas affaire à des intégristes. Je me suis donc rendu rue de Tanger à l'occasion d'une rupture de jeûne, c'est-à-dire du repas collectif qui suit immédiatement le coucher du soleil pendant le mois de ramadan. J'avais demandé que les femmes employées par le centre dînent avec nous, ce qui n'a soulevé aucune difficulté. Dans les milieux intégristes, la séparation des sexes est si radicale qu'il est strictement interdit aux femmes de prendre les repas à la même table que les hommes. Si cela avait été le cas, je n'aurais certainement pas accordé le permis de construire.

La Grande Mosquée de Paris nécessite elle-même de sérieuses réparations. Créée en 1922 avec l'aide de l'État en l'honneur des anciens combattants musulmans de 14-18, elle fait partie du patrimoine architectural de la Ville. Mes amis qui la fréquentent me font part régulièrement de sa dégradation. Certaines dispositions juridiques nous permettent de proposer notre aide : les bâtiments sont la propriété d'une association, la Société des lieux saints de l'islam, qui peut recevoir des subventions en application de la loi de 1905 (autorisant l'aide publique à la réparation des édifices par dérogation au principe général). J'avais exprimé à plusieurs reprises au recteur Dalil Boubakeur mon souhait de contribuer aux travaux. C'est désormais chose faite. Lors d'une cérémonie officielle organisée sur place en février 2004, une « convention de mandat » a été signée entre la mosquée et une société filiale de la Caisse des dépôts, garante de l'utilisation de l'argent public : elle officialise la participation de la Ville de Paris ainsi que celles de l'État et de la Région. Nous souhaitons également le classement de la mosquée comme monument historique, ce qui nous permettrait de mobiliser des concours financiers plus rapides et plus conséquents.

Une autre mosquée doit être mise en chantier, cette fois dans le XVIIIe arrondissement, où les fidèles doivent actuellement se contenter de lieux de culte sauvages. Nous sommes en train d'étudier attentivement les demandes, notamment un projet qui pourrait être réalisé dans des locaux appartenant à l'OPAC. Nous restons vigilants, conscients de l'existence sur le terrain d'associations fondamentalistes.

Il s'agit d'éviter les erreurs commises par Nicolas Sarkozy quand il était ministre de l'Intérieur. J'étais pourtant favorable à son initiative – prolongeant le travail de ses prédécesseurs –, qui a abouti à la création du Conseil français du culte musulman (CFCM). Il fallait instituer une représentation ayant vocation à nouer un dialogue avec l'État. Encore aurait-il fallu relativiser le résultat des élections telles qu'elles ont été organisées : sur les cinq millions de musulmans vivant en France, seuls quatre mille « délégués » ont été appelés à désigner les membres du CFCM. Dans ce dispositif, s'est-on posé la question de la place de l'immense majorité des Français d'origine musulmane, modérés, républicains, voire non religieux ?

Et pourquoi le ministre de l'Intérieur a-t-il choisi de se rendre, immédiatement après ce scrutin, au congrès de l'UOIF (l'Union des organisations islamistes de France), proche des Frères musulmans, qui n'est pourtant que la deuxième force représentée au sein du

CFCM ? Devant les portes de ce rassemblement, des tracts étaient distribués appelant au boycottage de produits dits « sionistes ». Face à lui, de nombreuses femmes – voilées – accédaient à la salle par une porte distincte de celle empruntée par les hommes. La présence d'un ministre dans un tel cadre a-t-elle fait progresser l'émergence d'un islam intégrant les valeurs de la République ? L'image véhiculée ne risquait-elle pas plutôt de renforcer les préjugés dans l'opinion ?

Je continue en tout cas de m'interroger sur les motivations qui ont poussé le ministre à participer à cette manifestation. D'autant que, quelques semaines plus tard, il est allé se faire acclamer par une assemblée de Juifs français dans une ambiance très favorable à Ariel Sharon ! Nous vivons un temps où les antagonismes, les failles dans la cohésion nationale sont tels que les discours ciblés en direction de segments particuliers de l'électorat peuvent se révéler particulièrement dangereux.

Ce siècle est celui de l'affirmation des identités. Il ne doit pas être celui des communautarismes. Je pense à cette femme coiffée du voile islamique qui a pris la parole en décembre 2003 lors du compte rendu de mandat du XVIIIe arrondissement. Elle travaille comme agent de service dans une école primaire et, à ce titre, elle est employée de la mairie de Paris. Elle a tenu à préciser devant l'auditoire qu'elle retire systématiquement son voile dans l'enceinte scolaire et qu'elle ne le porte qu'en dehors de l'établissement. Je lui suis reconnaissant d'avoir exprimé, avec une grande simplicité, une position d'équilibre : sans renoncer à observer un précepte qui lui tient à cœur, elle désire vivre dans un monde respectueux de toutes les croyances mais aussi de la neutralité du service public.

L'affaire du voile est révélatrice d'une tentative de détournement du fait religieux au profit d'un combat politique : en refusant les règles de la laïcité au nom de la liberté de culte, c'est tout un édifice qui est visé, celui que notre société a réussi à bâtir dans un équilibre historique entre le respect des choix spirituels et l'organisation de la vie publique. L'espace républicain ne peut être soumis à des règles religieuses, et particulièrement l'école : c'est un lieu d'égalité pour les enfants, au-delà de leurs différences.

Je ne suis évidemment pas favorable au port du voile, et d'abord pour ce qu'il représente au regard de l'identité féminine. Pourtant, la façon dont son interdiction a été décidée ne contribue-t-elle pas à stigmatiser la composante musulmane de la population ?

C'est pourquoi j'ai longtemps été hésitant sur la manière de légiférer. Le travail mené par la commission Stasi m'intéressait, j'aurais voulu qu'elle dispose du temps de la réflexion et que ses conclusions soient complètement prises en considération. Il aurait fallu laisser le débat se développer. Mais, le dialogue à peine engagé, avant même que la commission ne rende son rapport, une loi a été annoncée, décidée au sommet alors qu'elle aurait dû résulter de la confrontation des différents points de vue. L'idée suggérée par la commission Stasi de créer des jours fériés supplémentaires intégrant des fêtes non chrétiennes me semblait une bonne initiative, propre à donner le sentiment d'un respect égal pour toutes les croyances, et même d'une occasion de rencontre, de partage. Elle n'a malheureusement pas été retenue.

Surtout, cette loi semble accréditer l'idée largement

répandue selon laquelle l'islam, et lui seul, aurait un « problème » avec les femmes. En vérité, toutes les religions ont à s'interroger sur leur rapport aux femmes. Souvenons-nous des batailles pour la contraception, pour l'IVG. Et de celles, plus anciennes, pour le droit de travailler sans l'autorisation du mari, celui de divorcer, ou tout simplement celui de porter le pantalon... Les avancées sur le front du féminisme ont dû se faire sans, et bien souvent contre les religions. Aujourd'hui, la plupart des catholiques ont intégré l'idée que la société pouvait se donner des normes indépendantes des consignes religieuses. Mais ceux qui brocardent l'antiféminisme musulman pourraient s'intéresser aussi au caractère exclusivement masculin du clergé catholique. Même chez les protestants, où la situation est un peu plus avancée, on ne connaît pas de prélat femme. Les Juifs ne font pas exception à la règle. S'il existe quelques femmes rabbins, c'est le fait uniquement de l'aile libérale et très minoritaire du judaïsme.

L'égalité des sexes n'est pas un principe négociable. Il ne faut rien céder sur le droit des filles à être indépendantes, éduquées, séduisantes, à disposer de leur corps aussi librement que les garçons. Qu'elles optent pour le jean moulant ou pour le voile, pour une sexualité aventureuse ou l'abstinence jusqu'au mariage, c'est à elles, et à elles seules, de décider. Mais cela ne doit pas nous dispenser d'engager de toute urgence une lutte sérieuse contre les discriminations raciales – à l'embauche, au logement, dans les médias, voire à l'entrée des boîtes de nuit... – qui frappent trop souvent les enfants, et particulièrement les garçons issus de l'immigration. Dans la réaction misogyne qu'ils manifestent parfois, quelle est la part de l'angoisse, de l'humiliation et de la désespérance qu'ils éprouvent ?

Laissons cette civilisation se donner à elle-même les instruments du XXIe siècle. Ce n'est pas aux chrétiens – ni aux athées – de dicter leur comportement aux musulmans. Ces derniers sont engagés dans un vaste débat interne qui n'agite pas seulement les penseurs. Lors du ramadan, l'année dernière, j'ai participé à une rupture du jeûne chez mes amis Khader. Dans cette famille à la fois pieuse et laïque, on respecte scrupuleusement les principes religieux, mais les femmes ne portent le voile que quand elles vont prier à la mosquée. Je me souviens d'une discussion animée à propos de Tariq Ramadan, l'intellectuel suisse controversé pour ses prises de position ambiguës. La mère trouvait Ramadan intéressant : « Je crois qu'il faut discuter avec lui », disait-elle. Sa fille, dix-neuf ans et très pieuse elle aussi, n'était pas d'accord : « Maman ! Tu te fais avoir : tu n'entends pas ses prêches du vendredi à la radio ? Il nous explique que nous devons être totalement différents des autres, que nous ne devons pas nous laisser contaminer par les autres cultures pour préserver notre pureté... »

La réflexion est bel et bien engagée. La révélation de mon homosexualité à la télévision ne pouvait laisser indifférente la société maghrébine. Je l'ai dit : j'ai reçu beaucoup de courrier venant d'Afrique du Nord. Mais le ton général n'était pas à l'anathème. Je pense en particulier à un vieux monsieur algérien qui avait été instituteur et que l'émission avait totalement déstabilisé. Dans une lettre déchirante, il me faisait part de son trouble : « Je vous appréciais beaucoup, écrivait-il, je suivais vos actions, et j'aimais ce que vous faisiez. Et voilà que, depuis que je vous ai vu sur

M6 – j'ai un peu honte de vous le dire –, vous êtes devenu l'incarnation du diable pour moi ! » Il ajoutait : « Vous êtes en train de me rendre fou : je ne peux pas ne pas vous estimer, et ma religion me dit que vous êtes le démon. » Son ton ne comportait aucune agressivité, plutôt une forme de douleur, inconnue pour lui. Je lui ai répondu, et depuis nous sommes engagés dans une relation épistolaire fructueuse et même, sans nous connaître, amicale.

J'ai reçu d'autres messages à la suite de l'agression – pour une part homophobe – que j'ai subie, des messages de soutien très chaleureux qui m'ont profondément touché. Comme cette lettre manuscrite, rédigée dans une calligraphie nette, qui commençait ainsi : « Je me fais la porte-parole de quelques femmes, toutes originaires d'Algérie, dont certaines ne savent pas lire et écrire, mais elles savent parler et elles ont des émotions. » Elles me souhaitaient de retourner promptement à la gestion de « cette ville que nous aimons tant ». « L'humanité s'exprime parfois par des gestes ténébreux et haineux, heureusement qu'il existe de l'Amour et de la Compassion », écrivaient-elles. La lettre était signée : « Djamila, femme au foyer ; Nadia, très impliquée dans la vie associative ; Malika, femme de ménage ; Oula, étudiante en agronomie en Algérie, qui joint sa voix à la nôtre pour vous exprimer sa solidarité. » Merci, Djamila, Nadia, Malika et Oula. Et merci, Djida, de Grasse, qui leur a prêté sa plume. Elles me confortent dans la certitude que l'islam sait être généreux et humain.

Attention, pourtant, aux tentatives de dévoiement de l'aspiration religieuse : celle-ci se prête trop aisément à la manipulation, elle autorise trop souvent le conditionnement mental. Je parle bien entendu des sectes.

Certes, les religions classiques n'échappent pas au reproche. L'intégrisme, la fanatisation des esprits qui peut exister dans les Églises les plus reconnues le prouvent. Prenons garde cependant de distinguer ces excès et le phénomène sectaire. Aussi condamnables, aussi dangereux soient-ils au regard des droits de l'homme, les extrémistes religieux se réfèrent encore à une vision métaphysique. Ce n'est pas le cas des sectes. Celles-ci se servent de la référence surnaturelle pour réaliser en sous-main d'autres desseins, aux motivations nettement plus « humaines », comme le détournement à leur profit des ressources – financières, relationnelles, sexuelles, productives, etc. – de leurs adeptes. Elles exploitent les fragilités psychiques, s'immiscent dans l'intimité d'individus déstabilisés et prennent le contrôle de leur personnalité. C'est pourquoi les catastrophes les attirent tant : sous couvert de venir en aide aux victimes, elles font le vide autour d'elles, les soumettent à l'endoctrinement et finissent par les dominer totalement. Celles-ci vivront désormais dans une relation de dépendance dont elles auront la plus grande peine à se libérer.

C'est une régression dramatique au regard de la civilisation. Par un effort de rationalisation, par l'expérience et le progrès technique, nos sociétés ont réussi à développer une forme d'organisation collective qui donne une place – réelle mais circonscrite – à la conscience spirituelle. Et voici que ces sectes tentent d'imposer une vision du monde de nature totalitaire. De nombreux rapports signalent que de moins en moins de champs échappent à leur stratégie d'infiltration. Leur présence est patente dans les secteurs sanitaire, médico-social, éducatif, judiciaire et même politique : en avril 2003, le Conseil de l'Europe s'est inquiété de l'influence de l'une d'entre elles, après qu'un groupe d'élus eut mené une campagne de promotion au sein même de cette institution !

L'Europe tente de se protéger contre cette gangrène. Mais tous les pays ne parlent pas d'une seule voix. Aux États-Unis, au nom d'une conception très laxiste de la liberté religieuse, la plupart de ces mouvements prospèrent sans entraves. En 2002, Washington a même publié un rapport accusant la France de discrimination à l'égard de certains « mouvements religieux » ! Le Canada, pour sa part, reste une terre d'accueil pour certaines sectes. Je suis en total désaccord avec ce qui m'apparaît comme une complaisance, une pseudo-tolérance philosophique, recouvrant en réalité des enjeux d'argent et de pouvoir.

En attendant que les instances internationales se saisissent du problème, seule façon de lutter efficacement contre les sectes, les autorités locales sont malheureusement souvent démunies. En France, nous ne disposons pas d'un arsenal adapté qui comblerait le vide juridique. Les maires n'ont que peu de pouvoirs et sont contraints à user de moyens indirects, par exemple en soutenant des élus courageux ou des riverains mobilisés. Je suis pour ma part intraitable face aux sectes, et ce ne sont pas les courriers menaçants dont elles me bombardent qui risquent de me décourager. Nous nous sommes par exemple battus en épaulant les habitants du quartier pour chasser celle qui s'était installée près de la rue Montorgueil.

Les responsables politiques doivent tracer des limites aux empiètements pseudo-philosophiques, défendre la liberté individuelle et protéger les citoyens contre les menées plus ou moins sournoises d'organisations aux objectifs néfastes. Il n'est pas nécessaire pour cela que nous nous posions des questions théologiques, que nous nous interrogions sur le contenu des croyances. Il suffit d'examiner les méthodes utilisées : respectent-elles la liberté des individus ? Les adeptes conservent-ils leurs droits à l'éducation, l'accès aux soins ? Ont-ils la possibilité concrète de changer d'avis, de quitter le groupe aussi facilement qu'ils y sont entrés, sans subir de harcèlement ni de rétorsion ? Si des violations sont observées, nous devons intervenir. Je souhaite qu'à l'instar de la commission Stasi sur le voile une commission associant des personnalités qualifiées et l'ensemble des instances religieuses réfléchisse et propose des règles permettant à l'autorité publique d'interdire certaines manifestations, voire de mettre en cause l'existence même sur le sol français de certains mouvements jugés trop dangereux.

Attention cependant à nous garder d'une dérive : il ne s'agit pas, dans mon esprit, de proscrire des associations au seul motif qu'elles semblent « bizarres », dès lors qu'elles ne portent pas atteinte au libre arbitre, ne visent pas à l'embrigadement et ne pratiquent pas de violences physiques ou morales. La liberté de foi et de culte doit être absolument préservée. Aucune autorité politique ne peut décerner d'avis théologiques ni juger que telles croyances sont « bonnes » et telles autres « mauvaises » – faute de quoi c'est la loi de 1905 instituant la séparation des Églises et de l'État qui serait mise à mal.

Que l'on veuille brûler des bougies, ou de l'encens, devant tel autel ou telle divinité, fussent-ils d'apparition récente dans le paysage religieux, cela relève de la stricte liberté individuelle – pour autant que celle-ci est préservée.

8

Œuvres d'art

À une demi-heure de Rodez se trouve une des plus belles abbatiales romanes de France, l'abbaye Sainte-Foy de Conques. Adolescent, j'y ai découvert un art dont je connaissais le versant musical depuis mon enfance. C'est comme si le chant sacré s'était fait pierre, nef, chœur, voûte, colonnade, tympan. Je retrouvais la même harmonie dans le mélange de gravité et de raffinement. Cette abbatiale a toujours occupé une place particulière dans mon univers personnel. Proposer à ma mère une balade à Conques, c'était aussi la certitude de créer un moment de bonheur dans sa vie un peu austère à Rodez.

Quand j'ai appris que le peintre Pierre Soulages préparait, à la demande de Jack Lang, de nouveaux vitraux pour remplacer ceux, médiocres, qui avaient été posés au XIXe siècle, j'ai été inquiet. Je connaissais l'immense réputation de cet artiste né à Rodez en 1919. Il avait lui aussi tissé – depuis bien plus longtemps que moi et de façon ô combien plus féconde – un lien exceptionnel avec l'abbaye : c'est devant elle qu'enfant il avait fait le choix de consacrer sa vie à l'art. Dans mon éducation esthétique, l'œuvre de

Soulages a joué un rôle important. Ses dessins sont les premières œuvres abstraites que j'ai découvertes.

Mais oser toucher au miracle de Sainte-Foy ! J'avais une telle crainte d'être déçu que j'y suis allé comme on se jette à l'eau. Face à l'église, mon appréhension s'est calmée. Vu de l'extérieur, le graphisme très sobre des vitraux était rassurant. À l'intérieur, ce fut le coup de foudre. Quelle richesse, quelle transfiguration que cette lumière déversée par les vitraux ! Tout l'art de Soulages est dans la matière, et dans le rapport à la lumière qu'elle crée. Il a trouvé, en travaillant avec les maîtres verriers, un matériau opalescent qui laisse passer une lumière naturelle accordée à l'austérité de la pierre romane. Dans les mois qui ont suivi, je n'allais plus à un dîner, à une fête, à un anniversaire sans offrir le livre qui a été tiré de cette restauration. Sainte-Foy est à mes yeux l'exemple même de la rencontre entre des formes, des graphismes et des époques que l'on croit radicalement inconciliables.

Soulages avait dépassé la « querelle des Anciens et des Modernes ». Au-delà des siècles, la beauté communie avec la beauté. La création contemporaine de Norman Foster sur les murs du Reichstag, à Berlin, en fournit une autre preuve, et je ne ressens aucune schizophrénie à admirer le musée Guggenheim de Franck Gehry à Bilbao, la gare d'Orsay à Paris ou le Capitole à Rome.

Dans mon cadre intime, j'ai mélangé un secrétaire Biedermeier avec une statue africaine, un tableau de Joël Brisse avec des objets précolombiens, ou dans ma chambre, à Bizerte, le peintre François Boisrond avec l'artisanat local, en faisant dialoguer des œuvres d'époques et de styles différents. Les génies créateurs sont une infime minorité, mais nous pouvons tous avoir accès à l'art et à la beauté – et même, d'une certaine façon, à la création, car, dans notre perception des œuvres, c'est un véritable processus créateur qui est à l'œuvre.

C'est l'une des vertus de l'art contemporain : l'amateur y joue un rôle plus actif. Il interprète une œuvre qui ne se laisse pas lire d'emblée, qui est conçue de telle façon qu'elle se prête à toutes sortes de décodages. L'émotion artistique étant par nature subjective, chaque lecture est unique. Le spectateur participe à la création de l'œuvre à travers la perception qu'il en a.

L'Hôtel de Ville de Paris, d'architecture Renaissance, mais reconstruit au XIXe siècle, après la Commune, mêlait déjà, de manière parfois baroque, les goûts un peu précieux de François Ier avec des plafonds peints de représentations rupestres ou des salons semblant conçus comme des bonbonnières pour rendez-vous galants. Aujourd'hui, Brancusi apparaît sur le manteau d'une cheminée, Hantaï dans le grand escalier, des photos contemporaines ou des meubles *design*, Garouste et Starck complètent la mosaïque de notre patrimoine livré au regard des visiteurs. Pour le meilleur et pour le pire. Mais, dans la perception du beau, chacun choisit son meilleur et son pire. Et les heurts sont féconds.

Les artistes ne sont pas tous des êtres aimables et certains peuvent être égoïstes, voire inbuvables. Leurs œuvres, elles, sont toujours des actes généreux. Malheureusement, l'art reste encore trop souvent réservé à une minorité de privilégiés. Une enquête de l'INSEE conduite en 2000 révèle qu'un tiers seulement des ouvriers avaient lu un livre dans l'année, pour 84 % des professions supérieures. Quant aux arts plastiques, l'accès est encore plus limité : 27 % seulement des ouvriers ont visité une exposition ou un musée dans l'année, pour 76 % des cadres. Ces inégalités ont leur source dans l'éducation, comme me l'a souvent fait remarquer Éric Ferrand*.

Mieux qu'elle ne le fait aujourd'hui, l'école doit enseigner l'histoire de l'art, initier à la pratique de disciplines créatives et familiariser les enfants avec les lieux dédiés à la culture. Encore faut-il avoir les moyens de fréquenter les musées. Le voudraient-elles que de nombreuses familles ne pourraient tout simplement pas payer l'entrée d'une exposition à leurs enfants. C'est la raison pour laquelle j'ai souhaité que la gratuité soit instaurée le plus souvent possible. Depuis la fin 2001, c'est la règle pour les collections permanentes des musées municipaux. Cette mesure était vraiment attendue, si l'on en croit la hausse de 78 % de la fréquentation enregistrée en 2002, suivie d'une nouvelle augmentation de 27 % les dix premiers mois de 2003. Les expositions gratuites organisées dans les locaux de l'Hôtel de Ville – Édith Piaf, centenaire du Tour de France, Yves Montand, photos de Raymond Depardon, « L'énigme de l'homme de bronze » sur l'archéologie du Sichuan... – ne désemplissent pas. Et j'attends beaucoup de celle qui sera consacrée à « L'expérience religieuse » en septembre 2005.

Pour peu que l'on prenne la peine de le rendre accessible, l'art intéresse en fait tout le monde. L'opposition entre culture populaire et celle qui serait, par

---

* Adjoint chargé de la vie scolaire et de l'aménagement des rythmes scolaires.

définition, réservée à une élite me paraît aberrante, méprisante et, pour tout dire, appauvrissante. Le grand public n'est pas réfractaire aux formes les plus exigeantes de la création. Nul besoin de sortir du Conservatoire pour être saisi par la beauté des orgues dans une messe de Haendel ou un concerto de Haydn.

Le succès de la première Nuit blanche, suggérée par Christophe Girard* – cinq cent mille visiteurs – avait dépassé nos attentes. Pour la deuxième édition, le 5 octobre 2003, nous avions prévu un grand nombre d'installations extérieures, à base surtout de jeux de lumières, afin d'éviter les files d'attente et les embouteillages. Près de un million de visiteurs sont accourus de toute l'Île-de-France et même de plus loin, démontrant, s'il le fallait, que le beau peut séduire les foules. Les musées, ouverts et gratuits, ont fait le plein. De nombreuses animations étaient dues à des artistes de tout premier plan. À la Gaîté-Lyrique, ils étaient des milliers, impressionnés par la création vidéo de Samuel Rousseau, faisant évoluer un géant emprisonné dans le bâtiment. Sous la haute voûte des Blancs-Manteaux, William Forsythe, un des plus grands chorégraphes du monde, avait suspendu des centaines de ballons blancs reliés deux par deux (l'un à l'hélium, l'autre à l'air), créant une forêt magique en apesanteur, noyée dans un flot sonore plein de remous. J'ai vu le public émerveillé, tous âges confondus, se promener au milieu de cette œuvre d'art et jouer avec elle. Le nec plus ultra rencontrait le grand public, et ce dernier en redemandait.

La Nuit blanche fait des émules. À Rome, à Bruxelles, et peut-être, prochainement, à Dakar, à

---

* Adjoint à la culture.

Barcelone et à Montréal, le partage de l'art peut aussi dessiner une nouvelle forme de mondialisation. Il est possible d'avoir une ambition culturelle destinée à tous les publics et qui, bien que dénuée de snobisme, prétende à une grande qualité.

Je pense aussi à l'opération Cinéma au clair de lune, qui attire de très nombreux spectateurs, lorsque tous les étés, nous projetons – gratuitement – des films dans les quartiers où ils ont été tournés. Dans les jardins de Montmartre, lors de la projection d'*Amélie Poulain*, six ou sept mille personnes étaient présentes. Rue Amelot, c'était *Chacun cherche son chat*...

En matière d'action culturelle, le débat est pollué par une polarisation réductrice : il faudrait être pro- ou anti-« bobos » – autrement dit « bourgeois-bohèmes ». Certains ont prétendu que Nuit blanche, et d'autres manifestations, comme Paris quartiers d'été, Paris Jazz Festival ou Paris littéraires, visaient trop « haut », que c'était « de l'art pour les bobos ». J'entends cette critique, mais je ne suis pas convaincu de sa pertinence. Qui a décidé que les moins fortunés n'aimaient pas la qualité ? Instaurer la gratuité partout où c'est possible est une politique qui se soucie de favoriser l'accès de tous à la culture, et tant mieux si les bobos, qui ont un peu plus de moyens, en profitent aussi. Parmi ces derniers, d'ailleurs, il existe une frange précaire, voire très précaire, qui a du mal à assouvir son aspiration culturelle.

Toutes ces manifestations culturelles drainent un public mêlé, dont une bonne part vient des banlieues. Ce n'est pas seulement l'aspect festif ou convivial qui les attire. Peut-être ignorent-ils jusqu'au nom de Forsythe, peut-être même qu'ils l'ignoreront toujours, mais ils ont été touchés par ses créations. Faudrait-il faire rimer gratuité avec médiocrité ?

Je n'aime pas la condescendance que suscite, dans certains milieux, tout ce qui touche à la chanson. Tous les ingrédients de l'art sont réunis dans cette forme d'expression. Et si des générations ont communié en fredonnant Fréhel, Damia, Joséphine Baker ou Charles Trenet, ce sont elles qui ont donné à cet héritage le statut de patrimoine culturel. Et je n'aimerais pas plus que l'on conteste la qualité artistique des magnifiques chants basques ou des polyphonies corses. Des troubadours médiévaux à Mathieu Chédid en passant par Bruel, Guidoni, Renaud ou Daho, la chanson véhicule un art de vivre et exprime nos émotions collectives. Voilà pourquoi j'attache autant d'importance à la renaissance des Trois-Baudets.

Cette salle municipale de deux cent cinquante places, jadis haut lieu montmartrois, sera dédiée aux chanteurs débutants. Tous les grands noms de la chanson, et en particulier Pierre Perret, s'intéressent à ce projet, eux qui se souviennent du mal qu'ils ont eu jadis pour se faire connaître, et qui regrettent la disparition de cabarets comme l'Écluse, où Brel et Barbara ont débuté. Les producteurs sont également intéressés, car il s'agit d'un lieu où ils pourront découvrir les talents qui, plus tard, feront les triomphes de l'Olympia, du Zénith ou de Bercy.

Pour les autres et pour moi-même, je revendique le droit à l'éclectisme. La bande dessinée est contemporaine, mais rien ne justifie qu'elle soit considérée comme une discipline mineure. Après les *Tintin*, *Astérix* et *Lucky Luke* de notre enfance sont arrivés Tardi, Mandryka, Bilal, Margerin ou Régis Franc. Comme Wolinski, Sempé, Plantu, Sergueï ou Cabu, ce sont tous des artistes d'aujourd'hui. J'ai découvert plus récemment *Titeuf* : alors que j'étais convalescent, les enfants d'une école du XVe arrondissement avaient chargé Anne Hidalgo, qui leur rendait visite, de me remettre une BD qu'ils avaient tous signée. Ils m'ont fait faire une belle découverte, et depuis j'achète tous les *Titeuf* à leur parution.

La liberté des goûts et leur variété, c'est le propre de la culture. Et tant mieux si nous avons des appréciations divergentes face aux œuvres d'art – j'y vois une sorte de condition de la civilisation : quelle richesse de pouvoir confronter les points de vue sur un film, un roman, une musique ! Ou des formes absolument inédites et déroutantes, si neuves que l'on a du mal à les nommer.

Je pense aux arts numériques, auxquels sera dédiée la Gaîté-Lyrique. Ce magnifique théâtre à l'italienne est resté fermé près de vingt ans. Le décor intérieur – qui avait jadis connu les fastes d'Offenbach – a été irrémédiablement massacré. Transformé en une piètre « Planète magique » dédiée aux jeux électroniques, il a bien vite périclité, creusant un gouffre financier. Longtemps, j'ai espéré qu'il puisse retrouver sa vocation d'origine. La destruction intérieure était telle que c'était malheureusement devenu impossible. Comment sortir par le haut d'un tel gâchis ?

Finalement, c'est une autre question qui a orienté notre choix. « Qu'est-ce qui manque à Paris ? Quel est le secteur artistique qui ne possède pas de lieu dédié ? » nous sommes-nous demandé. J'avais vu, notamment à la Maison européenne de la photographie (établissement municipal) et à Beaubourg, des expositions d'art numérique. Ce n'était pas vraiment ma tasse de thé. Mais cette beauté en mouvement créée à l'aide des nouvelles technologies m'a semblé répondre à la vocation de ce théâtre fracassé. Pourquoi ne pas y accueillir ces génies du XXIe siècle – que je ne suis pas toujours certain de comprendre – et leurs œuvres si évidemment belles et changeantes, toujours renouvelées par l'évolution incessante des techniques ?

Malgré mes goûts beaucoup plus « classiques », j'avais l'intuition qu'il se passait quelque chose de passionnant dans ce secteur peu connu. Mêlant musiques électroniques et grandes installations multimédias, ces œuvres transcendent les divisions classiques entre les différents arts. Je n'ai pas pour autant perdu mon amour pour la musique sacrée. Mais l'action culturelle implique curiosité et disponibilité. Sinon, gare à l'écueil, toujours menaçant, de l'art officiel.

En matière culturelle, les décisions peuvent être difficiles à prendre. Irrémédiablement subjective, la sensibilité esthétique est un guide peu sûr. Il faut donc affronter les incertitudes. Ce fut le cas à propos du théâtre du Rond-Point. Propriété de la Ville, sa gestion a longtemps été assumée par l'État. Depuis un certain temps, la célèbre maison de Madeleine Renaud et de Jean-Louis Barrault était fermée. Après mon élection, j'ai proposé à Catherine Tasca, alors ministre de la Culture, de prendre en charge la moitié de la rénovation et des dépenses de fonctionnement. En échange, nous assumions ensemble la réorientation du théâtre. Par sa situation géographique, un Rond-Point repensé, à nouveau attrayant, pouvait en effet influer sur l'identité du quartier des Champs-Élysées, un peu trop figé dans son lustre de vitrine.

Nous avons donc lancé un concours, dont trois candidats de très grande qualité ont finalement émergé : Gildas Bourdet, Jean-Michel Ribes et Jacques Weber. À première vue, j'étais persuadé que ce dernier s'imposerait. Et puis Ribes est arrivé avec une proposition extraordinaire. Puisque Paris compte de nombreuses salles où l'on joue du théâtre classique, arguait-il, consacrons le Rond-Point aux auteurs vivants, mais dans tous les styles et à toutes les heures. À côté de salles minuscules réservées aux créations les plus pointues d'auteurs « inclassables », d'autres accueilleront des œuvres plus accessibles. Il y aura de l'humour, de l'émotion, du cérébral, de l'abscons. Des inconnus et des grandes stars. Cette folle audace nous a conquis, Catherine Tasca et moi, et le jury a osé. J'ai dû appeler mon ami Jacques Weber, et lui annoncer que, malgré mon premier penchant, une proposition plus originale – et plus risquée – que la sienne avait été retenue. Moment très désagréable pour lui et pour moi, mais la franchise et l'équité l'imposaient.

Le Rond-Point est aujourd'hui un lieu dédié à l'amour du théâtre sous toutes ses formes, où la plus haute exigence se conjugue avec la plus grande ouverture. J'aurais dû deviner que Jean-Michel Ribes collait exactement à l'esprit que je souhaite pour Paris : haut de gamme sans être élitiste. En matière culturelle, « haut de gamme » signifie qu'on ose tout. Dans la création, on ne peut pas installer des limites a priori. Il faut laisser le temps et le public faire le travail de décantation – et c'est par ce biais que l'élitisme est évité. C'est en aval que l'on pourra émettre un jugement valable.

Dans l'univers du théâtre français, Patrice Chéreau joue lui aussi un rôle précieux. Ce révolutionnaire a gagné une certaine sagesse avec le passage du temps, sans rien perdre de sa souveraine liberté. Il a su préserver ses colères, sa pureté, tout en se gardant du sectarisme. De *L'Homme blessé* à sa récente mise en scène de *Phèdre*, l'intransigeance, intacte, s'applique maintenant à un grand classique dont elle renouvelle de fond en comble la vision, dans un respect absolu de l'œuvre. Cette démarche artistique – qui ressemble à son auteur – est pour moi admirable.

La création – mélange, rencontre, heurt, surprise – est au cœur de la civilisation et c'est pourquoi les barbares la détestent tant. Les talibans détruisent les grands bouddhas de Bamiyan, les Khmers rouges font des ravages dans les richesses de l'art khmère, et Mao balaie d'un trait de pinceau des siècles de splendeur chinoise. Mais il y a, hélas, d'autres manières d'être barbare. Quand les États-Unis envahissent l'Irak, ils se préoccupent de protéger le ministère du Pétrole plutôt que le musée de Bagdad. Certes, ils ne jouent pas les iconoclastes obscurantistes ni les allumés de la table rase. En plaçant la logique du profit au-dessus du souci de préservation des trésors de l'humanité, c'est Babylone elle-même – Babylone ! – qu'ils sacrifient à la loi de l'argent.

Quel que soit son rapport personnel à l'art, un responsable public doit inscrire la culture parmi ses préoccupations les plus essentielles. Car elle est au fondement de la vie collective. Par l'effort de créativité et d'imagination, elle donne des formes sensibles à nos questionnements. Dans les régimes autoritaires, elle devient résistance. Mais c'est avec la liberté que la culture se marie le mieux, parce qu'elle en a besoin pour exister et parce qu'elle en produit. « Sans la culture et la liberté relative qu'elle suppose, écrit Albert Camus, la société – même parfaite – est une jungle. C'est pourquoi toute création authentique est un don à l'avenir. »

La littérature symbolise parfaitement ce tribut permanent à un monde éclairé : il est d'ailleurs significatif que, partout où la liberté est bafouée, la censure fait partie intégrante du paysage politique. Les musiques, les images, les peintures qui véhiculent autant de messages jugés « subversifs » sont interdites au regard du peuple. Quant aux livres « nocifs », ils sont brûlés en place publique, dans ces autodafés que les nazis pratiquaient avec délectation.

J'ai toujours aimé les livres. Et d'abord leur contact. L'odeur rassurante qui s'échappe d'un ouvrage. L'émotion aussi, lorsque le hasard vous remet au contact d'une couverture associée à un épisode précis de votre existence.

Mes goûts sont classiques. J'aime par exemple John Irving, son regard déchirant sur les êtres, son humour toujours singulier, son exceptionnelle capacité à maintenir un lien entre réalité et fiction. Pour moi, *L'Œuvre de Dieu, la part du diable* est un chef-d'œuvre. Comme *Crime et Châtiment*, de Dostoïevski, ou *Voyage au bout de la nuit*, de Céline, immense écrivain et penseur détestable. Avant même que son talent n'ait été distingué par le prix Nobel, je me suis délecté de l'écriture sensible, imagée, drôle, de Naguib Mahfouz.

La culture ne se contente pas de ressasser ou de recycler une tradition, et une seule, dans une sorte d'isolement jaloux. L'anthropologue Claude Lévi-Strauss montre que les sociétés traditionnelles, si profondément attachées à leur construction civilisationnelle, empruntent pourtant sans cesse des éléments aux autres cultures, éléments qu'elles « digèrent » et qui dès lors font corps avec leur propre système culturel. Pour rester vivante, la tradition doit se nourrir en fait d'apports extérieurs, d'innovations. Elle enrichit son fonds par des emprunts, des détournements, des influences, des mariages insolites. L'exploration des autres univers est dans son mouvement.

Aujourd'hui, il faut se battre sur deux fronts : contre les frilosités, les tentations de repli d'un côté ; contre un vaste mouvement de marchandisation de l'autre. Bien entendu, la rencontre de l'art et de l'argent ne date pas d'aujourd'hui. Mécènes, entrepreneurs, collectionneurs, amateurs, les liens sont innombrables entre les mondes artistique et économique. La nouveauté, c'est que la sphère culturelle est en passe de devenir un champ de valorisation du capital comme un autre, soumis à la spéculation financière. Que restera-t-il de la pulsion créatrice si elle est soumise à la seule loi de l'argent ? Et que deviendra la diversité culturelle dans un univers entièrement marchand ? Seule une décision politique peut mettre la création à l'abri des rapports purement commerciaux et s'opposer à l'uniformisation. Le XXIe siècle sera celui où la politique reprendra le pas sur une logique exclusivement économique, ou bien il livrera la culture aux appétits des grands groupes de communication.

La France a sur ce plan un rôle à jouer. Avec son ouverture sur la création d'où qu'elle vienne, avec l'accueil qu'elle a prodigué aux artistes du monde entier – depuis Léonard de Vinci jusqu'à Nancy Huston –, elle a toujours su pratiquer l'art d'enrichir son propre trésor par les richesses venues d'ailleurs. C'est un atout très ancien qui a fait son rayonnement dans l'Histoire et qu'elle doit aujourd'hui introduire dans la mondialisation. Ce qu'on appelle la francophonie ne peut se réduire au fait que le français soit une langue internationale ou, pour le dire autrement, que les Africains lisent ou écrivent des romans en français. Ce rapport unilatéral issu de l'héritage colonial doit évoluer. J'ai envie que l'histoire, les origines, les voix des autres s'expriment à travers cette langue commune. Je pense à Erik Orsenna, dont le dernier roman, *Madame Bâ*, m'a enchanté : on croirait qu'il est écrit par un Africain, avec tous les ingrédients qui caractérisent cette littérature : chaleur, sentimentalité, luxe des mots.

Comme maire de Paris, je préside l'AIMF (Association internationale des maires francophones). Nous développons beaucoup d'actions de solidarité – des centres de prévention du sida aux projets d'assainissement en passant par le transfert de savoir-faire, notamment à travers la formation des personnels municipaux. Mais nous voulons être également actifs dans le champ culturel. J'ai été frappé par l'amour qu'inspire cette langue à tous les membres de l'association. À quoi doit-elle servir ? S'il s'agit seulement de vendre des programmes de télévision, cela ne me suffit pas. Pour la première fois, une grande réunion de la francophonie s'est déroulée au Cambodge en 2003. J'y ai rencontré d'authentiques amoureux de la culture française, comme le roi Norodom Sihanouk : sa connaissance de la langue, son érudition sont étourdissantes. Et pourtant quel meilleur représentant de la culture khmère ?

C'est cette alchimie-là qui me passionne. La francophonie est en fait un immense trésor de cultures – du Viêtnam au Québec en passant par le Sénégal et le Liban – que nous négligeons. Tous les gouvernements

– ceux de droite un peu plus que ceux de gauche – ont réduit les crédits culturels à l'étranger : les établissements d'enseignement, les musées, les centres que nous avons créés au fil des décennies voient leur dotation réduite. C'est une faute contre la France, contre son rayonnement et même contre ses intérêts économiques.

À Paris, je ne peux qu'aimer la culture des autres, car tous, dans le monde entier, sentent en eux quelque chose de Paris. Un maire africain me disait que, dans le désert, quand il parlait de Paris, il y avait des lumières qui s'allumaient dans les yeux de ses auditeurs. Si nous disons aux artistes du monde que ce qui se crée à Paris est parisien, nous sommes nuls. Notre force culturelle réside d'abord dans notre capacité à accueillir et à mettre en valeur le talent de tous. Une danse indienne, une sculpture africaine, une musique amérindienne ont naturellement leur place ici. Je croise parfois, le matin, en prenant un café au bistrot de mon quartier, un voisin auquel je n'ai jamais osé adresser la parole, mais dont j'ai lu de nombreux ouvrages : Milan Kundera. Je me réjouis que cet immense auteur ait trouvé bon de vivre et de créer dans notre pays. J'aimerais qu'aucune discipline, qu'aucun créateur ne se sente étranger à Paris.

L'amour et la beauté inspirent l'art. Souvent, c'est de la souffrance que naît la création, et c'est alors à notre souffrance qu'elle fait écho. Si l'art peut transfigurer la vie, il n'y a que la vie qui puisse nourrir l'art. Certains savent peindre, composer, interpréter. D'autres – ou les mêmes – sont des artistes de la vie. L'histoire de certaines personnes est une longue et passionnante exploration artistique. J'éprouve pour elles la même admiration enthousiaste que pour certaines créations : la vie de Mandela, celle de Martin Luther King ou celle de Shirine Ebadi sont à mes yeux d'authentiques œuvres d'art.

J'ai rencontré des êtres exceptionnels qui sont des « génies de la vie ». Je pense à ma chère Anastasia Chirinsky, aujourd'hui âgée de quatre-vingt-douze ans, qui me prodigue son affection depuis bientôt cinquante ans. Je l'ai connue à Bizerte, où, amie de ma mère, elle m'a enseigné les mathématiques comme à trois générations de Tunisiens. Quand la plupart des Français ont décidé de quitter la Tunisie, elle a choisi d'y rester. Sa vie est un véritable roman qu'elle a d'ailleurs raconté avec beaucoup de talent dans un livre, *La Dernière Escale**.

Son père, aristocrate russe, commandant d'un bâtiment appartenant à la flotte impériale, a dû fuir la révolution bolchevique. En 1920, l'escadre échoue dans la rade de Bizerte, avec six mille exilés. Parmi eux, la petite Anastasia, âgée de huit ans. Ayant tout perdu, sa famille survit dans des conditions très difficiles. Elle-même doit travailler dès son jeune âge, et ne terminera jamais les études universitaires auxquelles son intelligence aurait pu prétendre. Elle vit aujourd'hui avec une pension très modeste. Sa vie est imprégnée d'histoire, de culture, de curiosité et de créativité jamais assouvies (écrira-t-elle vraiment ces contes pour enfants ou ces romans policiers qui sont dans ses brouillons – et dans sa tête ?). Mais surtout d'amour. Elle a passé son temps à aimer, et sa maison est une sorte d'auberge... russe où n'importe qui peut passer à n'importe quel moment. J'ai assisté l'été

* Anastasia Manstein-Chirinsky, *La Dernière Escale – Le siècle d'une exilée russe à Tunis*, Sud-Éditions, Tunis.

dernier au baptême de son arrière-petit-fils dans l'église orthodoxe de Bizerte qui ne survit que grâce à son dynamisme et à son rayonnement. La fête qui a suivi était un moment absolument exceptionnel. Les familles présentes comptant de nombreux couples mixtes, le spectacle de ces jeunes Arabo-Russes passant des danses slaves aux danses maghrébines sur une musique chantée à pleine voix par toute l'assistance était époustouflant. Au milieu du charivari, « Babou », comme nous l'appelons tous, scandait le rythme avec sa canne. Cette fête lui ressemblait : belle, vivante, généreuse, inattendue. Une œuvre d'art, comme l'aurait dit mon ami poète « envolé », Yves Boullic.

9

Alchimie urbaine

Je me souviendrai toujours du 25 mars 2001. Pas seulement parce que le Conseil de Paris tout frais sorti des urnes m'a élu ce jour-là au poste de maire, ainsi que l'équipe des adjoints qui m'accompagnent dans ma tâche depuis trois ans. Mais aussi parce que, à peine terminée, j'ai dû quitter précipitamment cette première séance pour foncer à l'aéroport Charles-de-Gaulle : à dix-sept heures, la commission d'évaluation du Comité international olympique arrivait pour apprécier notre candidature aux JO de 2008. Le rendez-vous était fixé depuis longtemps avec mon prédécesseur. En prévision de la victoire de nos listes, j'avais étudié le dossier et rencontré Claude Bébéar, le patron du projet de candidature. Ce fut la première et la plus urgente de toutes les responsabilités qui venaient de m'échoir.

Jusqu'au vote final, j'ai tenté de porter de mon mieux la candidature de Paris. Nous connaissions nos atouts – la qualité du dossier technique, mais surtout le prestige de cette ville aimée du monde entier. Malheureusement, ce n'est pas le monde entier qui décide : ce sont les cent vingt membres du CIO, qui obéissent – individuellement et collectivement – à des motivations complexes.

Quand Pékin l'a finalement emporté, nous avons pu nous consoler en pensant que c'était au tour de l'Asie d'organiser les Jeux, que l'hyperpuissance montante de l'Extrême-Orient était un candidat hors normes. Que pouvait peser l'argument selon lequel les derniers Jeux organisés à Paris remontaient à 1924, qu'une précédente candidature, en 1992, s'était soldée par la victoire de Barcelone ? Mais au-delà de ce choix, somme toute normal, la sanction a été particulièrement humiliante pour nous : au premier tour du vote, nous sommes arrivés en quatrième position, derrière Istanbul ! Notre score s'est certes un peu amélioré au second tour, mais impossible désormais d'ignorer la fragilité de notre candidature. À quoi était-elle due ? Le dossier technique ne méritait certainement pas ce camouflet. Qu'avait voulu sanctionner le CIO ? La réponse, semble-t-il, tenait au fait que notre candidature apparaissait, aux yeux de nombreux membres, empreinte d'une certaine arrogance.

Voilà pourquoi j'ai pris le temps de réfléchir à l'éventualité d'une nouvelle candidature pour 2012, en consultant largement. Les politiques – le président Chirac, le patron de la région, mon ami Jean-Paul Huchon, le ministre des Sports, Jean-François Lamour. Les sportifs : le président du Comité olympique français, Henri Sérandour, les membres français du CIO, Jean-Claude Killy, Guy Drut, ceux qui y siègent à titre honoraire, Alain Danet et Maurice Herzog, puis David Douillet, Thierry Rey, Stéphane Diagana, ainsi que les présidents français des fédérations sportives et différents dirigeants internationaux... Avions-nous une chance, aussi mince soit-elle, de remporter la décision pour 2012 ?

La condition sine qua non, c'était de présenter un dossier technique répondant en tout point aux exigences du CIO : des équipements regroupés, performants, fonctionnels – et réutilisables. Les responsables du CIO n'apprécient pas les travaux pharaoniques difficiles à mettre à la disposition du grand public une fois les Jeux terminés. L'enjeu écologique (développement durable, transports...) est aussi au cœur de la compétition entre les villes candidates. Et je m'en réjouis.

En officialisant notre candidature en mai 2003, j'ai eu le sentiment très net qu'une ambition commune fédérait déjà les forces sportives, politiques, économiques. Dans les mois qui ont suivi, nous avons affiné le projet, en concevant un ensemble compact, distribué entre deux pôles assez proches – le premier en Seine-Saint-Denis, autour du Stade de France, le second autour du Parc des Princes et du stade Roland-Garros – s'articulant avec un village olympique situé à mi-chemin, aux Batignolles.

Il fallait également désigner l'emplacement d'autres sites : Bercy, Saint-Quentin-en-Yvelines, etc. Des questions plus ardues se sont alors posées : de nombreux responsables locaux s'étaient mis sur les rangs, espérant recueillir pour leur collectivité quelque bénéfice en termes d'aménagement du territoire. La compétition risquait de creuser les antagonismes et de fausser les choix.

Pendant ces semaines décisives, j'ai été en contact constant avec le ministre des Sports, le président de la région Île-de-France, le préfet de région, les présidents des conseils généraux. Si nous avions succombé à la tentation de défendre chacun les intérêts de son camp politique, le débat aurait pu sombrer dans l'empoignade stérile. Parfaitement conseillés par Henri Sérandour, Guy Drut et Jean-Claude Killy, nous devions mettre totalement entre parenthèses nos appartenances et nos étiquettes. « Ne nous focalisons pas non plus sur les besoins d'aménagement, même s'il s'agit d'une préoccupation légitime, ai-je plaidé. Si nous voulons vraiment gagner, nous devons choisir les sites les plus aptes à convaincre les cent vingt votants. »

Quand nous avons entamé notre réunion de synthèse le 22 décembre 2003, des rivalités apparemment insurmontables commençaient à s'aplanir. Elles ont finalement été toutes réglées en une heure et demie, et les décisions adoptées à l'unanimité. Nous avons appliqué dans notre mission les méthodes qui font la victoire des équipes sportives sur le terrain. Comme maire de Paris, je remplis la fonction d'animateur, épaulé par Philippe Baudillon et Essar Gabriel, eux-mêmes à la tête d'une équipe remarquable. Et, à la diversité des personnalités et des « statuts » mobilisés dans cette aventure, s'ajoute le monde économique, à travers l'engagement des dirigeants de onze groupes industriels français, partenaires de cette candidature. Arnaud Lagardère anime ce pôle avec un enthousiasme nourri par un amour sincère du sport. Belle équipe, donc. Et, comme au football, nous subordonnons le jeu individuel à la victoire collective.

Tous les participants à la conférence de presse commune, tenue le 16 janvier 2004 à la tour Eiffel, ont pu en être témoins : l'ambiance était à une harmonie assez étonnante entre responsables de bords différents. Même la maire du XVIIe arrondissement, Mme de Panafieu, avec qui les rapports ne sont pas toujours aisés, communiait dans la complicité et la bonne humeur générale. J'aime rappeler que quand les premiers Jeux ont eu lieu, en 776 avant Jésus-Christ, à Olympie, il a été décidé que, pendant leur durée, la guerre devait cesser, afin de laisser les athlètes donner le meilleur d'eux-mêmes. L'équipe de la candidature parisienne a dû être touchée par l'esprit des JO...

Notre projet doit tendre vers l'excellence, sans se départir d'une attitude simple et même humble : dédié à la fois aux valeurs sportives et au projet urbain. Tel que nous l'avons conçu, le cœur même de Paris est consacré à la fête des JO. Les athlètes seront logés intra-muros, ils pourront être acheminés par des transports rapides et sécurisés sur les lieux des épreuves et se rendre en dix minutes au centre-ville. Après leur départ, ils laisseront en héritage aux Parisiens un village olympique de quarante hectares aux Batignolles. Construit entre 2005 et 2012 pour répondre à leurs besoins, le village laissera voir d'emblée son organisation future, avec des logements (en partie pour étudiants), des espaces verts, des activités économiques et des équipements de proximité. Le site de La Rochelle pour la voile, celui de Saint-Denis avec le Stade de France, Saint-Quentin-en-Yvelines pour le cyclisme, ainsi que les villes de Lens, Lyon, Marseille et Nantes pour le football complètent notre offre. L'ensemble des équipements dédiés aux JO seront accessibles aux handicapés, car ces Jeux, nous ne l'oublions pas, sont en fait les « Jeux olympiques et paralympiques ».

Réponse le 6 juillet 2005. D'ici là, le projet continuera d'être amélioré. Les maires d'Île-de-France autour de Claude Pernès et ceux du pays tout entier avec Daniel Hoeffel s'engagent à fond dans cette aventure collective. Pour que la candidature de Paris ait une chance d'être retenue, il faut qu'elle devienne la candidature de la France. Comme toutes les autres villes sur les rangs, nous devons pouvoir dire, en toute sincérité et en toute modestie : « Oui, nous avons besoin des Jeux, du formidable accélérateur d'aménagement urbain qu'ils représentent. »

Mais les JO, c'est beaucoup plus que du développement, y compris durable : dans leur essence même, ils portent la philosophie de la fraternité, une forme de joie de vivre et une culture exceptionnelle de l'effort et du résultat. La flamme rappelle l'origine religieuse des Jeux – les Grecs remerciaient les dieux en fêtant l'harmonie du corps – et symbolise le lien entre l'humain et le divin, et entre les hommes eux-mêmes. Les règles ont parfois été détournées, notamment au profit de la performance pure. Mais l'idéal olympique conserve un sens profond et noble.

Au-delà du cadre olympique, la dimension festive est essentielle dans les sports, notamment les sports d'équipe. Pensons à la passion que suscite le Tour de France, passion déjà ancienne, constituée en tradition, et qui conserve – en dépit des scandales récents autour du dopage, qui ont terni la magie de cette épreuve – son caractère populaire et joyeux, ses fêtes, ses pique-niques. Certes, les enjeux économiques ne manquent pas. Mais, au fond, pourquoi pas ? Tout le problème est de fixer des limites à ces intérêts. Cela en vaut certainement la peine. Certains moments font date – pensons aux étapes de montagne du Tour ou aux finales de tennis à Roland-Garros par exemple – et rythment la vie de millions de femmes et d'hommes.

Ces instants uniques pendant lesquels vibrent à l'unisson les habitants d'une ville et les téléspectateurs contribuent puissamment au lien dans la société. Ils jouent un rôle, au fond, comparable à celui que peut tenir un événement fédérateur comme la fête de la Musique.

Avec le football, c'est l'humanité entière qui est embarquée dans la même passion. Des gamins des favelas qui ont du génie au bout des pieds aux supporters des quatre coins du monde, notre planète vit chaque Coupe du monde comme un moment rare de cohésion sociale : des ouvriers, des hommes d'affaires, des intellectuels, des chauffeurs de taxi se découvrent une vraie proximité. Jusqu'aux femmes, qui, lors du Mondial 1998, ont été sensibles à la beauté d'un sport qui exige intelligence et esprit collectif. Alex Ferguson, entraîneur éclairé de l'équipe anglaise de Manchester United, a résumé, avec un humour *so british,* l'impact de ce sport : « Le football, ce n'est pas une question de vie ou de mort. C'est beaucoup plus important que ça »...

Bien sûr, la dimension nationale, voire nationaliste, n'est pas absente de cet unanimisme. Mais les amoureux de football savent aussi apprécier le beau jeu, y compris porté par l'équipe adverse. Et, lors des finales, le monde entier frémit au rythme des mêmes exploits, des mêmes coups du sort, des mêmes rebondissements.

J'ai été particulièrement impressionné par cette évidente dimension fraternelle si présente lors des grands rendez-vous mondiaux qui se sont déroulés à Paris. Le Mondial de foot en 1998 est encore dans toutes les mémoires. La foule qui a envahi les

Champs-Élysées agitait tous les drapeaux : le bleu-blanc-rouge coexistait avec les couleurs algériennes ou tunisiennes, et même les couleurs des Brésiliens vaincus. Il n'y avait pas de mauvais sentiment dans cette liesse. Ce n'est pas parce qu'on admirait Zidane qu'on en voulait à Ronaldo. Plus tard, les championnats du monde d'athlétisme de 2003 ont non seulement drainé un nombre étonnant d'amateurs – soixante-dix-huit mille personnes dans un stade pour des compétitions d'athlétisme, c'est bien rare –, mais ils ont surtout donné lieu à une ambiance très chaleureuse qui a frappé tous les témoins, notamment quand le public français s'est mis à encourager avec enthousiasme les athlètes étrangers.

Ce climat m'a rappelé la qualité humaine particulière véhiculée par un sport que j'apprécie depuis longtemps. Quand je suis arrivé en France à l'âge de quatorze ans, parmi les nombreuses curiosités que j'ai découvertes, il y a eu la révélation du rugby. Être adolescent dans le Sud-Ouest, c'était épouser la cause du ballon ovale : à chaque rencontre, le temps s'arrêtait, tout le monde était au stade. Dans les années où j'y ai vécu, l'équipe de Rodez était, par chance, excellente et elle a même fini par décrocher la première place au championnat de France de deuxième division. Je suis devenu un fana de ce sport, sans le pratiquer pour autant. Faute du physique idoine, je dois me contenter de la natation et de la gymnastique.

Le rugby est un sport paradoxal. Le plus « bagarreur » – celui où la confrontation physique est la plus puissante – et en même temps le plus fraternel des sports d'équipe, qui repose sur une véritable culture de l'amitié : amitié entre les joueurs comme entre les supporters venus d'horizons socioculturels très divers et qui sont rassemblés par cette passion commune. Une autre particularité qui rend le rugby éminemment sympathique, c'est l'esprit de fête dont il s'accompagne toujours. Impossible de jouer un match sans le prolonger par la « troisième » mi-temps. Après s'être durement affrontées, les équipes font la fête : on rit, on chante, on chahute, même s'il reste quelques traces bien visibles de l'empoignade qui a précédé.

À peine arrivé à la mairie de Paris, j'ai décidé d'organiser au moins une fois par an une troisième mi-temps à l'Hôtel de Ville. En juillet 2001, notre équipe était finaliste de la Coupe d'Europe qui se jouait au Parc des Princes – elle a été battue par les Anglais de Leicester, 30 à 34. Le début de la soirée était bien morose. Mais, rapidement, la bonne humeur a repris le dessus. La salle des fêtes, qui avait si longtemps servi de cadre à des cérémonies compassées, était méconnaissable. Les joueurs, leurs femmes, leurs copains, tout le monde était monté sur les chaises et faisait tourner sa serviette – sous le regard horrifié du général qui remplissait à l'époque la fonction de chef du protocole...

À Paris, l'équipe du Stade français, partie de très bas, s'est imposée en quelques années comme une place forte du rugby national. Sous la présidence de mon ami Max Guazzini, les Parisiens ont été quatre fois champions de France en sept ans. Pratiquement tous les joueurs de l'équipe sont devenus des proches, et j'apprécie particulièrement celui qui fut leur capitaine – en même temps que patron du Quinze de France –, Fabien Galthié. Depuis qu'il a arrêté sa carrière sportive, il y a quelques mois, Fabien consacre d'ailleurs une partie de sa vie professionnelle à me conseiller sur le sport. Au-delà de son impressionnant pedigree athlétique, ce Lotois à l'identité occitane affirmée éprouve pour Paris un désir et un attachement authentiques. Quand il est arrivé ici, sa femme, Coline, était enceinte, et je me souviens qu'il m'a dit avec fierté : « Mon petit garçon va naître à Paris, ce sera un petit Parisien. » De toute évidence, cela n'avait rien d'anecdotique à ses yeux.

Au-delà du cercle des fanas de rugby, les joueurs parisiens se sont fait connaître grâce au célébrissime calendrier qu'ils publient depuis 2001, « Les Dieux du Stade ». Ils ont eu l'idée de poser en tenue d'Adam devant l'objectif d'un grand photographe, avec le ballon ovale pour tout accessoire. Ce qui était au départ un clin d'œil amusant a débouché sur un succès considérable. Pour la plus grande fierté des « dieux » en question, le calendrier s'est vendu en 2003 plus que le Goncourt ! C'est une opération financièrement assez intéressante pour le club, ainsi que pour l'association – différente d'une année sur l'autre –, qui reçoit une partie des bénéfices. Ainsi, en 2004, les Amis de Tom, qui soutiennent les jeunes sportifs victimes d'accidents, se sont vu remettre un chèque de 100 000 euros.

J'ai demandé à Max Guazzini d'offrir à mes adjointes le calendrier 2004 : il a fait un tabac. L'une d'entre elles, Odette Christienne, chargée de la mémoire et des anciens combattants, s'est lancée à cette occasion dans un commentaire savoureux : « J'avoue m'interdire désormais les matchs même si j'apprécie la beauté et l'intelligence dans l'affrontement vigoureux des mâles équipes : étant trop passionnée, je risquerais la crise cardiaque ! » écrit non sans humour cette dame très digne, veuve de général. « Reconnaissons que ces nus ne sont pas dénués de sensualité, ajoute-t-elle, malgré ou en raison de quelques camouflages pudiques. Mais que le regard et le sourire de Julian Hans sont émouvants ! Un ange ? J'avoue que c'est le seul portrait que je pourrais afficher en recevant les anciens combattants dans mon bureau. » Ces calendriers rendent, avec originalité, un hommage appuyé au sport. En exaltant l'effort, l'endurance, l'esprit d'équipe et la stratégie, le sport montre que nous faisons fausse route quand nous séparons la dimension physique de la dimension mentale ou même morale. Un grand sportif n'a pas seulement des muscles d'acier, il a aussi une intelligence de joueur d'échecs, un courage digne des héros, un moral de vainqueur. Dans les sports d'équipe, l'esprit de solidarité est exemplaire, y compris dans le football – où l'influence de l'argent favorise pourtant des comportements autocentrés. Et jusque dans les disciplines dites individuelles : car, si les exploits sont ici le fruit d'un effort personnel, les champions, eux, sont portés par une équipe, une dynamique collective. Il suffit de se souvenir des judokas ou des escrimeurs de France lors des Jeux olympiques de Sydney en 2000 : de David Douillet, qui conserve son titre conquis quatre ans plus tôt à Atlanta, ou de Laura Flessel, qui arrache une médaille de bronze alors qu'elle reprend tout juste la compétition après être devenue... maman.

Aujourd'hui, on entend plus souvent parler de dopage que de dépassement de soi, de triche que de combat à la loyale. Ces dérives ont sans doute toujours existé. Et l'enjeu financier et médiatique, devenu écrasant, contribue d'évidence à intensifier de telles pratiques et à rendre toujours plus sophistiquées et indécelables les techniques de dopage. Elles doivent évidemment donner lieu à une lutte acharnée, au nom, d'abord, de la santé des sportifs, mais aussi des valeurs du sport.

Celui-ci remplit une autre fonction, à mes yeux essentielle : il nous offre une façon intelligente de gérer la rivalité qui caractérise l'espèce humaine. Nous sommes anthropologiquement animés par l'esprit de compétition, sur le plan individuel comme sur le plan collectif. Les rapports humains ne sont pas de la guimauve, et, dans les stades, les hooligans viennent nous rappeler que tout peut servir de prétexte au déchaînement des tendances les plus agressives. Mais cette fanatisation n'est pas la règle. Le plus souvent, le sport s'empare de notre violence innée et, au lieu de la nier, de la ressasser ou de la rejeter, il la canalise au service d'une ambition individuelle et collective. Je l'ai éprouvé fortement en assistant à un spectacle qui frôle le miracle : un match de foot entre aveugles ! C'est l'un de mes collaborateurs, Hamou Bouakkaz, non-voyant lui-même, qui m'a fait faire cette découverte, et je lui en suis infiniment reconnaissant. Quelle émotion que de voir évoluer ces athlètes, guidés par des balises sonores, de constater que, par goût du jeu, par désir de gagner, tout être est capable de surmonter un handicap qui semble invincible ! J'y ai beaucoup repensé. Quand on constate ainsi la vertu de la compétition, on ne peut s'empêcher de s'interroger sur notre quête légitime d'égalité. Ne faut-il pas, parfois, favoriser aussi l'ébullition, cultiver le goût de l'émulation – ce moteur si précieux de l'action et du progrès –, même si cela débouche à l'arrivée sur des palmarès, des vainqueurs et des vaincus, bref, sur la reconnaissance de qualités et de mérites différents ? Le sport est en tout cas ce domaine unique où l'esprit d'antagonisme se trouve des affinités avec son contraire : l'esprit de fraternité. C'est la compétition sans la guerre qui débouche sur la hiérarchie sans la haine. Nos pulsions mauvaises, en transitant par la dimension du ludique, du jeu « gratuit », de la beauté du geste, se trouvent débarrassées de leur charge de destruction et de mort. Ce n'est pas étonnant que l'humanité aime depuis toujours ce que nous désignons par une belle formule, la « culture physique ».

C'est cet esprit-là que je souhaite favoriser en soutenant activement toutes les grandes manifestations sportives : tennis, rugby, football, cyclisme, volley... Pourquoi choisir entre la pratique de masse et le sport de haut niveau ? Cette dichotomie est absurde. D'où viennent les champions, sinon du tissu foisonnant des clubs de base ? Et qui entretient la flamme collective qui nourrit les compétitions de haut niveau, sinon les millions de sportifs du dimanche ? Les Parisiens illustrent bien cette réalité : à la fois pratiquants et supporters, proches de leurs équipes fétiches qu'ils soutiennent avec efficacité, à en juger par les performances qu'elles réalisent en rugby ou en football – sans oublier ici la section féminine du PSG. La plus médaillée de toutes est cependant l'équipe de volley-ball, championne de France sans interruption entre 1999 et 2003 et auteur d'un triplé unique dans les annales du sport national : championnat, Coupe de France et Coupe d'Europe des clubs champions. J'ai assisté à des matchs au milieu de fans enthousiastes, avec des après-matchs aussi festifs qu'une troisième mi-temps.

La pratique d'un sport, si elle est un élément de l'harmonie sociale, renforce aussi la confiance dans notre monde urbain. Je pense en particulier aux enfants et aux adolescents : l'accès à un club, la participation à des matchs peuvent leur inculquer la nécessité de la discipline autrement et peut-être plus efficacement que l'école. La possibilité de progresser, de remporter des victoires, et d'abord sur soi-même, est un instrument incomparable pour construire la confiance en soi sans l'appuyer sur la haine de l'autre.

C'est pourquoi toute notre action à Paris tend vers l'ouverture du sport au plus grand nombre. Moins connue que l'inégalité en matière de pratiques culturelles, il existe aussi une inégalité dans l'accès au sport. Une enquête de l'INSEE réalisée en 2000 montre que 45 % des enfants de milieux modestes pratiquent un sport, pour 74 % de ceux des familles aisées. Il faut donc combattre la discrimination par l'argent et baisser les tarifs, voire instaurer la gratuité. C'est ce que nous avons fait avec Pascal Cherki* pour les allocataires du RMI, qui ont accès librement aux vingt-sept piscines municipales, à des courts de tennis et à des séances de gymnastique ; et c'est le cas pour tous ceux qui veulent pratiquer le beach-volley, le badminton, le roller ou l'escalade, dans le cadre de Paris-Plage. La plus grande accessibilité pour tous suppose d'aménager les locaux. Elle suppose aussi d'adapter les horaires des équipements sportifs aux besoins des Parisiens, en prolongeant les heures d'ouverture en soirée.

Elle implique également de créer les infrastructures qui font défaut. Par exemple, Paris ne possède pas de patinoire pérenne. Longtemps, les amoureux de ce sport ont dû se contenter de celle installée sur le parvis

---

* Adjoint au sport.

de l'Hôtel de Ville deux mois de l'année. En 2002, nous avons étendu ce système à deux autres quartiers, Montparnasse et Stalingrad. La patinoire de Bercy – jusqu'ici réservée aux clubs – est ouverte au public depuis l'automne 2003. Surtout, avant la fin de cette mandature, nous livrerons une patinoire ouverte toute l'année, située dans le XIXe arrondissement.

Parmi tous les équipements sportifs programmés, ma préférence va à ces deux piscines que nous créons sur la Seine. Une seule cependant sera terminée avant 2007 : elle ouvrira au printemps 2006. Nous avons choisi de l'installer au pied de la bibliothèque François-Mitterrand, dans ce quartier de la ZAC Paris-Rive gauche qui doit accueillir une nouvelle université. À cet endroit-là, le fleuve est suffisamment large pour que le passage des péniches ne soit pas perturbé. À portée de main de ce trafic fluvial qui donne un charme si particulier à la Seine – de mes fenêtres à l'Hôtel de Ville, je vois passer ces nombreuses péniches chargées de marchandises –, les baigneurs pourront prendre le soleil l'été, grâce au toit ouvrant. Détail qui touchera tous les amoureux de Paris : c'est dans l'eau de la Seine – une fois purifiée – que l'on se baignera. L'eau qui sera rendue au fleuve sera donc plus propre qu'au moment où elle aura été puisée. Symbole qui m'importe, alliance du sport et de l'écologie.

Je rêve à des lieux où la dichotomie entre les disciplines du corps et celles de l'esprit serait abolie. Où l'on pourrait passer d'une salle de judo à un cinéma, d'une bibliothèque à une salle de gymnastique. Application estivale de ce principe : depuis l'été 2003, une formule de prêt de livres de poche a été lancée sur

Paris-Plage, étendue cette année à des ouvrages en langues étrangères ainsi qu'à des bandes dessinées.

Toutes ces manières différentes d'être civilisé cohabiteraient harmonieusement au sein d'un même complexe. Après le travail, les Parisiens pourraient s'y rendre pour faire une partie de squash ou de bowling, dîner, puis voir un film ou un spectacle de danse. Tout cela sans changer de trottoir. Un premier projet devrait voir le jour en 2007 dans le quartier du Simplon. Les entrepôts de la SERNAM dans le XIIIe arrondissement pourraient offrir un autre emplacement adapté à un tel concept.

« La civilisation urbaine reste à inventer », disait François Mitterrand, un amoureux des villes issu de la culture rurale. N'est-ce pas paradoxal, sachant que la culture citadine, d'apparition extrêmement ancienne, a joué un rôle évident dans l'essor des civilisations ? Il faisait allusion, je pense, à la disparition des rituels citadins, emportés par la concentration et la croissance trop rapide des agglomérations. Alors que le monde rural avait conservé les siens : l'urbanité particulière de la place du village, les jours de marché, les fêtes de famille, les fêtes religieuses, le rôle du maire, du bedeau, etc. Est-il possible de retrouver des rituels, nouveaux ou rénovés, pour raviver le plaisir de vivre ensemble ?

C'est en tout cas une revendication de plus en plus affirmée par tous les citadins : la ville du XXIe siècle doit être un lieu où l'on a plaisir à vivre. Ils veulent se réapproprier un territoire urbain qui leur a peu à peu échappé, happé par le gigantisme et l'omniprésence de la voiture. Ils veulent trouver facilement pour leur enfant une place dans une crèche et plus tard dans une école, des activités périscolaires, et aussi des endroits pour le jeu et la détente. Stressés par leur activité professionnelle, ils rêvent de retrouver le plaisir d'échanger dans un cadre agréable, reposant et sûr. Souvent mis à mal dans les faits, le droit à la sécurité est une condition indispensable à l'instauration d'un climat urbain plus serein.

C'est à cette envie d'ouvrir la ville au loisir et au partage que répond Paris-Plage, conçu avec toute une équipe au sein de laquelle Anne-Sylvie Schneider joue un rôle moteur par sa créativité et son sens de l'organisation. Trois millions de personnes s'y sont rendues en 2003, et spécialement les habitants d'Île-de-France – plusieurs centaines de milliers – qui n'ont pas les moyens de partir en vacances. Tout y est gratuit. Des personnes d'origines sociales très diverses se côtoient, des familles d'Ivry et des gens du XVIe arrondissement pique-niquant ensemble. Cette année-là, le seul acte de délinquance observé sur quatre semaines fut un vol de portable...

Sous des cieux plus frais, je voyais les gamins de Paris se déguiser en danseurs traditionnels à l'occasion du nouvel an chinois et défiler dans le IIIe ou dans le XIIIe arrondissement. Pourquoi ne pas en faire une belle fête à l'échelle de la ville ? Le grand défilé organisé en janvier 2004 sur les Champs-Élysées a mobilisé des milliers de jeunes, de toutes origines. Le spectacle fut magnifique et retransmis dans le monde entier ; j'aurais préféré, cependant, que la foule puisse s'y mêler plus largement. Nous y remédierons, je l'espère, en 2005, année du Brésil, lors du carnaval sur les Grands Boulevards, avec – pourquoi pas ? – Copacabana à Paris-Plage. Issues de cultures qui n'ont pas perdu le sens de la fête, ces grandes manifestations sont des trésors qui concourent à forger cette civilisation urbaine en devenir aujourd'hui.

Sur ce plan, Paris avait beaucoup souffert depuis les années 1970. Livrés à la spéculation immobilière, des pans entiers du centre historique ont perdu leur âme à mesure que les beaux immeubles d'habitation étaient envahis par les bureaux. De grands programmes à l'esthétique néostalinienne, comme les Orgues de Flandre, dans le XIXe arrondissement, ont concentré les logements sociaux dans les quartiers de l'Est. Les espaces verts, pourtant singulièrement rares à Paris, n'ont pas fait l'objet d'un volontarisme suffisant. Et même avec les trente hectares que nous réalisons d'ici à 2007, sous l'impulsion d'Yves Contassot*, cette ville manque d'air.

C'est l'aboutissement d'une évolution fort ancienne. Au Moyen Âge, les classes populaires dormaient là où elles travaillaient. La révolution industrielle a conduit à partager l'espace urbain entre les activités économiques, très polluantes, et l'habitat. Avec l'augmentation de la taille des agglomérations, cette logique a eu pour conséquence de faire exploser le problème des déplacements. Les villes anglo-saxonnes, dont les habitants ont été chassés des centres-villes, se fixent aujourd'hui comme objectif d'y réinsuffler de la diversité et de mieux coordonner les zones vouées à l'habitat et celles réservées aux activités professionnelles.

L'agglomération parisienne est de ce point de vue une caricature, avec une moitié ouest dédiée aux bureaux et au résidentiel privilégié, l'est concentrant

* Adjoint chargé de l'environnement, de la propreté, des espaces verts et du traitement des déchets.

le résidentiel modeste, et aujourd'hui tous les problèmes : logements dégradés, transports insuffisants, manque d'espaces verts, insuffisance des taxes professionnelles, donc de développement.

Couronnant le tout, l'option en faveur de l'hégémonie automobile est sans doute ce qui a le plus défiguré la ville et obéré le plaisir d'y habiter. Voie express, axes rouges, construction de parkings en centre-ville... Plus on accroissait la portion de voirie consacrée aux véhicules, plus le nombre de ces derniers augmentait. Conjuguée à la raréfaction des transports en commun à mesure que l'on s'éloigne du centre, cette politique a transformé Paris en un immense aspirateur à voitures constamment au bord de la saturation.

C'est à cette absurdité – et à ses conséquences pour la santé des Parisiens – que nous nous étions engagés à porter un coup d'arrêt, bien décidés à inverser la tendance. Ce sont les projets qu'avec Denis Baupin* nous avons mis le plus rapidement en chantier : la construction de voies d'autobus en site propre, le rééquilibrage de l'espace public en faveur des piétons et des vélos, le réaménagement de certains boulevards en espaces civilisés, les quartiers verts, le chantier du tramway engagé sans tarder, après la concertation nécessaire. Autour de ces changements, les polémiques n'ont pas manqué. La majorité des Parisiens, qui circule dans les transports en commun, ne s'y trompe pas, semblant les accueillir positivement.

Trois ans plus tard, les premières réalisations commencent à porter leurs fruits : depuis 2001, la

---

* Adjoint chargé du transport, de la circulation, du stationnement et de la voirie.

circulation a baissé de plus de 10 %, deux fois plus que ce qui était prévu par l'équipe précédente en six ans !

Mais cela ne suffit pas. Après le terrible été 2003, un rapport de l'INSERM a démontré que 45 % des décès survenus pendant la canicule sont dus à la pollution. Nous devons absolument continuer d'agir pour que l'air des villes redevienne respirable. Les études montrent que 60 % des habitants de banlieue circulant dans Paris empruntent les transports en commun. Les 40 % restants sont en réalité des « otages » – plus que des fanas – de la voiture. C'est ce qui nous pousse à soutenir toutes les améliorations de transports en commun en Île-de-France, comme le T2, c'est-à-dire le tramway qui relie Issy-les-Moulineaux à la Défense.

La date historique en matière de gestion des déplacements parisiens sera janvier 2005. Le STIF (syndicat des transports d'Île-de-France), géré par l'État, passera alors sous le contrôle des élus de la Région. Nous pourrons enfin nous attaquer aux problèmes principaux qui limitent l'offre de transports publics en Région parisienne : prolonger les lignes de métro au-delà de la petite couronne, développer des parkings à tarif préférentiel à proximité des gares, étendre les heures de service du métro et du RER en soirée et en week-end et, surtout, développer les transports de banlieue à banlieue. Bref, proposer un service public des déplacements plus attirant que l'utilisation des véhicules individuels. Il y va de la qualité de la vie en milieu urbain.

Aujourd'hui, le cœur dévitalisé de Paris est le théâtre d'un véritable mouvement de reconquête. Les citadins du XXIe siècle tentent de reconquérir un droit dont on les a privés, celui d'habiter dans le centre-ville. Ils demandent des crèches, des jardins dans ces quartiers dévitalisés par la spéculation des années 1980 sur l'immobilier de bureau. Ils veulent se promener à pied, dans des lieux non pollués, avec leurs enfants qui font du vélo et les petits derniers dans les poussettes doivent pouvoir circuler sur les trottoirs. Ils nous demandent, à nous, gestionnaires municipaux, de rendre la ville accueillante pour toutes les familles, et pas seulement pour les plus aisées d'entre elles.

C'est la raison pour laquelle nous avons choisi de lancer un grand débat autour du Plan local d'urbanisme (PLU) appelé à remplacer l'ancien Plan d'occupation des sols (POS). En juin 2004, chaque Parisien a reçu nominativement un questionnaire qui aborde tous les problèmes : déplacements, espaces verts, équipements publics, localisation des logements, hauteur des constructions, dynamique économique et emploi dans une ville où le taux de chômage est de 11,5 %. Le mode de consultation est celui qui permet aux citoyens d'intervenir de la manière la plus large : plusieurs questions appelant des réponses ouvertes, la possibilité de s'exprimer sur des thèmes absents du questionnaire. Il s'agit de penser, avec les Parisiennes et les Parisiens, le développement de la ville dans les vingt prochaines années. Les réponses sont analysées par un organisme indépendant, l'IPSOS, et seront rendues publiques avant l'adoption du nouveau PLU par le Conseil.

Nous ne voulons surtout pas renouveler les crimes urbains perpétrés précédemment. Mais faut-il pour autant s'enfermer dans une ville-musée ? Devons-nous nous laisser congeler dans notre histoire, sous prétexte de la préserver ? J'aimerais que nous parvenions à prendre le risque de la création, mais avec sagesse. Le musée Guggenheim de Bilbao, œuvre de Franck Gehry, ne pourrait être construit à Paris sur la base des règles actuelles, car il dépasse les trente-sept mètres qui limitent en hauteur toute nouvelle construction depuis 1977. Comment, alors, inscrire le génie du nouveau siècle dans la trame citadine ? C'est l'objet d'un débat que nous devons assumer, car nous sommes confrontés à un problème crucial.

Paris compte un peu plus de deux millions d'habitants – 2 125 851 précisément – pour une superficie limitée : cent cinq kilomètres carrés. C'est la capitale la plus petite en termes de surface mais en même temps la plus dense d'Europe. Nous sommes à l'étroit. Cent mille familles prioritaires attendent un logement social et nous manquons de terrains pour en construire. Lutter pour l'emploi, développer l'activité économique nécessitent de l'espace. Nous sommes également sous-équipés en crèches, en écoles, en équipements sportifs et culturels, ainsi qu'en jardins. Comment résoudre ces problèmes sans augmenter l'espace constructible ? Depuis vingt ans, Paris perd chaque année une partie de sa population. Doit-on accepter le départ vers la banlieue des catégories populaires et des jeunes ménages qui ne trouvent pas à se loger à des prix abordables, notamment quand la famille s'agrandit ? Comment accepter d'exclure des Parisiens qui souhaitent continuer à vivre dans leur ville ?

Comment empêcher cette lente dérive qui chasse les enfants et fait de Paris une ville de seniors et de célibataires ? Comment bâtir ces logements, ces lieux d'activité, ces équipements publics, ces espaces de convivialité, de jeu, de détente, dans cent cinq kilomètres carrés ? Ne faut-il pas réexaminer nos tabous et nos a priori à la lueur de ces nouveaux besoins ?

D'où l'idée un peu provocatrice de bâtir au-delà de cette sacro-sainte limite de trente-sept mètres. Le principe s'appliquerait bien entendu de façon exceptionnelle et ne concernerait que des lieux dédiés à l'activité économique, implantés à la périphérie. Car il ne s'agit pas de densifier la ville, il s'agit de l'aérer. L'objectif n'est pas d'en augmenter le nombre d'habitants, mais de stopper leur hémorragie. Je ne rêve pas de transformer Paris en une ville à l'anglo-saxonne. Mais pourquoi s'interdire d'inventer un style de vie urbain plus agréable, dans des hauteurs différentes ? L'harmonie de la ville n'exige pas l'uniformité des hauteurs.

Quelle ville voulons-nous pour le XXIe siècle ? Quel esprit des lieux ? Quelle architecture ? Ces questions sont aussi complexes que passionnantes. Sur beaucoup de projets, y compris privés, j'essaie de recevoir les architectes et les promoteurs, d'examiner les maquettes. Ce fut le cas à propos du nouveau siège du *Monde*, de Bouygues, de Citroën ou de la façade rénovée de Publicis sur les Champs-Élysées. Quand le musée d'Art moderne de la Ville a organisé une exposition autour de l'œuvre de Dan Graham, j'en ai profité pour le rencontrer. Les réflexions de Renzo Piano, auteur du nouveau siège de Virgin, porte de Clignancourt, sont enrichissantes. Les échanges avec l'architecte anglais Daniel Libeskind, vainqueur du concours pour le nouveau World Trade Center de New York, avec Norman Foster, Jean Nouvel ou Christian de Portzemparc élargissent notre vision de la ville. Tous ces grands créateurs ont beaucoup à apporter à l'urbanisme en devenir. Il ne s'agit pas de leur laisser sans précaution les clés de la ville. Mais c'est à nous, élus, de canaliser leur talent au service de la vie. En tout cas, je souhaite que Paris ose aimer son siècle.

Dès que le mot « création » est prononcé, certains prennent peur. La mémoire des Parisiens, comme celle de tous les Français, est traumatisée par les grands ensembles, les tours et les barres, dont nous constatons aujourd'hui l'échec. Nous devons à l'urbanisme « sur dalle », en vogue dans les années 1960, des réalisations comme le front de Seine ou le quartier des Olympiades : esplanades désolées, à l'entretien et à la desserte compliqués, aridité des façades sur la rue, rez-de-chaussée désertifiés... Au mieux, la dalle tourne le dos au reste du quartier. Au pire, elle accumule des dysfonctionnements (saleté, insécurité, manque de commerces, etc.) qui pénalisent tout l'environnement.

On peut comprendre l'urgence qui a prévalu, après les destructions de la Seconde Guerre mondiale, puis sous l'effet du baby-boom, de l'exode rural, du retour des rapatriés, de l'arrivée des immigrés... Mais, à présent, il faut mettre fin à l'hérésie des appartements empilés dans des tours dégradées, plantées en bordure de périphérique. Nous le faisons partout où des solutions de relogement sont possibles et où les habitants sont d'accord. Nous avons ainsi décidé la destruction de la tour Bédier dans le XIIIe arrondissement, d'autres suivront. Dans le XIXe arrondissement, c'est plutôt l'idée du « rhabillage » d'une tour que propose Martine Durlac*, après consultation des occupants.

La ville est un corps en mouvement : les habitudes, les rythmes, les activités évoluent au fil du temps. Pour autant, les citoyens sont attachés à des lieux et à des

* Adjointe à la politique de la Ville.

pratiques. La véritable « modernité » consiste non pas à les faire disparaître, mais à les adapter.

L'exemple des marchés parisiens est très révélateur. Dès le XVIIIe siècle, l'historiographe parisien Jean-Baptiste Jaillot proposait d'en créer un par quartier « d'une grandeur proportionnée aux besoins de ceux qui l'habitent ». Aujourd'hui, les habitants viennent y puiser tout à la fois une ambiance, une autre manière de consommer et une façon de prendre son temps et d'apprécier des sons, des couleurs, des parfums qui sont aussi une signature de notre cité. C'est pourquoi, avec Lyne Cohen-Solal*, nous tentons de donner une nouvelle jeunesse à ces pôles de convivialité. Plusieurs ont été créés, comme le marché Baudoyer dans le IVe arrondissement, le marché Saint-Honoré dans le Ier, ou celui situé square d'Anvers dans le IXe. Afin de mieux les intégrer à l'espace urbain du XXIe siècle, il fallait modifier leur « cahier des charges » : ouverture l'après-midi, allongement des horaires le week-end, meilleure accessibilité aux personnes handicapées.

Et, d'ici à 2007, arrivée des produits biologiques sur tous les marchés de la capitale : cette évolution de l'offre correspond à une demande des Parisiens, à un mode de consommation qu'il fallait mieux prendre en compte. Cela peut même conduire à jeter des passerelles inédites : ainsi, le légendaire marché couvert des Enfants-Rouges (IIIe arrondissement) accueille des producteurs, devenant un marché fermier parisien, grâce à un partenariat avec la Fédération des producteurs.

L'influence des commerces de proximité sur la

---

* Adjointe chargée du commerce, de l'artisanat et des métiers d'art.

vitalité et l'identité d'un quartier ne se dément pas. Seulement voilà : comment faire face à la disparition progressive de ce tissu composite auquel se substitue souvent l'uniformité des grandes enseignes – des fast-foods, des supermarchés –, condamnant de nombreuses rues à ce qu'on appelle la « mono-activité » ? La question est ardue, comme le savent malheureusement bon nombre de maires dans toute la France. Faute de « reconquérir » certains commerces, c'est là encore une dérive à l'anglo-saxonne qui nous guette. À Paris, une société d'économie mixte, la SEMAEST, mène une action de diversification du commerce dans les quartiers les plus menacés. Le processus est le suivant : la Ville délègue à la SEMAEST un droit de préemption, ce qui permet à cette dernière d'acquérir des boutiques ou des locaux commerciaux pour les réhabiliter puis les louer à des artisans et à des commerçants. Repérage, programmes de sauvegarde, acquisitions, conseil : autant de missions que cette société assume avec dynamisme, au service d'une certaine conception de la cité. Conception qui allie, en vérité, deux notions parfaitement compatibles : la volonté de répondre aux mutations culturelles et sociologiques de la ville et le souci de préserver ces éléments de patrimoine que constituent l'artisanat et le commerce de proximité.

La remarque s'applique également au patrimoine architectural qui, pendant cette mandature, sera plus protégé qu'il ne l'a jamais été : trois mille cinq cents parcelles supplémentaires, présentant un intérêt historique, architectural ou paysager, seront mises à l'abri de tout projet de démolition, grâce aux nouvelles règles proposées dans le PLU. Elles permettront également de protéger des venelles et des jardins privés.

Pour la première fois, sous l'impulsion de Sandrine Mazetier*, une carte patrimoniale sera dressée, qui détaillera tous les secteurs où subsistent des vestiges antérieurs à 1850. Ces protections viennent en complément des mille neuf cent douze bâtiments classés ou inscrits par l'État sur la liste des monuments historiques.

Après dix-huit ans à la tête de la Ville, Jacques Chirac, à qui on demandait quelles étaient les réalisations dont il était le plus fier, répondait : « Les pelouses inclinées du palais Omnisport et l'éclairage de la tour Eiffel » ! De fait, les grands gestes architecturaux de la seconde moitié du XXe siècle à Paris sont dus à la volonté de l'État, la mairie de Paris restant quelque peu sur la défensive. Beaubourg, la rénovation de la gare d'Orsay, la Grande Arche, le Louvre, la Villette, l'Opéra-Bastille... et maintenant le musée des Arts premiers ont été initiés par les Présidents de la République successifs.

Pour tenter de rompre avec une telle logique, les Parisiens ont été conviés à un débat qui les concerne au premier chef : celui autour des Halles et de leur rénovation. J'avais promis, lors de la campagne municipale, que nous rénoverions ce « ventre de Paris » dont le destin m'a toujours horrifié. Le général de Gaulle avait eu raison quand il avait diagnostiqué l'inadaptation du centre de Paris aux nécessités du marché de gros : il suffit d'aller faire un tour dans l'immensité de Rungis pour s'en persuader. Mais pourquoi a-t-on choisi de détruire les superbes

* Adjointe chargée du patrimoine.

pavillons Baltard ? Pourquoi avoir piétiné l'histoire si riche de ce quartier, et ignoré les besoins de ses habitants ?

La conception actuelle doit tout à l'esprit technocratique des décideurs de l'époque. Même le pôle d'échanges de la RATP, qui est le cœur de l'ensemble, n'a pas placé en premier le souci de l'usager : aujourd'hui, les huit cent mille voyageurs quotidiens se perdent dans le réseau tentaculaire des couloirs souterrains. Les boutiques de vêtements pullulent, mais le quartier manque d'un marché alimentaire et de commerces de proximité. Les équipements publics sont mal desservis. Le jardin est un invraisemblable enchevêtrement de passages et de niveaux... Bref, il faut tout repenser.

Nous avons lancé un appel d'offres auprès des architectes pour ce qu'on appelle un « marché de définition », formule souple, ouverte à la créativité, une sorte d'appel à idées. Avec une consigne, toutefois : l'ambition. Il en faut pour donner du sens à ce quartier désarticulé, qui a besoin à la fois d'un changement profond et de douceur dans la méthode. La mobilisation des citoyens confirme un véritable engouement, une volonté de peser sur le destin d'un lieu qui influe sur tout le visage de Paris. Maquettes et projections visuelles à l'appui, chacun peut se forger une opinion et donner son avis, formuler des suggestions, amender, inventer. Le bon sens, la passion mais aussi l'exigence et la précision caractérisent les réactions recueillies. C'est la marque d'une démocratie citoyenne fertile. C'est aussi une illustration de l'extrême sensibilité de ce dossier. Car l'investissement des citoyens ne fait qu'accroître l'obligation de résultat...

Volontarisme et effort d'imagination : le concept

doit d'ailleurs s'appliquer à tous les grands dossiers de la politique municipale. À l'épreuve des faits, pourtant, ils ne suffisent pas toujours.

La cité abrite une misère sociale qui prend des formes diverses et évolutives auxquelles il est difficile d'apporter des réponses vraiment rapides. L'exclusion, le délitement social sont les faces les plus sombres, les plus violentes de la réalité urbaine. Si l'humilité est de mise, la pugnacité doit l'être aussi. Gisèle Stievenard* et Mylène Stambouli** s'y emploient au quotidien. Paris est la première collectivité territoriale française en termes de dépense sociale par habitant. Une étude comparative réalisée par le journal *L'Expansion* établit même que son effort budgétaire équivaut au double de celui de la ville classée en cinquième position. Avec 1,34 milliard d'euros, les moyens consacrés à la solidarité et à l'action sociale représentent un quart de son budget global. Humanisation des centres d'hébergement, aide alimentaire, insertion des bénéficiaires du RMI, soutien aux jeunes en difficulté, les missions sont considérables, à l'image des besoins.

Cette priorité absolue désigne un combat un peu frustrant, où la moindre petite avancée semble soulever chaque fois de nouveaux défis. Mais on touche là à l'essence même de l'action publique : rendre justice, soulager, créer des partenariats avec les associations, afin de proposer d'autres solutions que la désespérance.

Combat d'autant plus âpre que le poids de l'héritage est lourd. Je pense par exemple au logement, illustration d'une pénurie insupportable qui aboutit

---

* Adjointe chargée de la solidarité et des affaires sociales.

** Adjointe chargée de la lutte contre l'exclusion.

systématiquement à l'exclusion de nombreuses familles parisiennes.

Que faire ? Agir sur tous les leviers, quitte, d'ailleurs, à en créer de nouveaux. D'abord s'attaquer aux taudis, à ces immeubles insalubres qui agrègent tous les stigmates de la misère sociale. Une convention signée avec la SIEMP (société d'économie mixte de la Ville) prévoit leur éradication d'ici à la fin de la mandature. Énorme chantier, en vérité, qui implique non seulement des interventions d'envergure, mais aussi le relogement provisoire des familles pendant la durée des travaux. Avec Jean-Yves Mano*, nous nous sommes également fixé pour objectif de financer vingt et un mille logements sociaux d'ici à 2007, en veillant à ce que leur implantation ne se limite pas aux arrondissements de l'Est. Ce parti pris provoque quelques grincements de dents. Et alors ? La mixité sociale ne doit pas rester à l'état de concept sympathique, aussitôt démenti par les faits.

Dans le cadre du PLU, l'obligation de réaliser 25 % de logements sociaux dans tout nouveau programme immobilier devrait s'imposer partout où une telle offre est précisément déficiente. L'ouest et le centre de Paris ont tout à gagner à cette diversification sociologique qui, peu à peu, remettra en cause l'image d'une ville cassée en deux et inaccessible à de nombreuses familles. Les jeunes ménages sont ainsi souvent contraints de s'exiler hors des frontières de leur cité alors qu'ils aimeraient pouvoir y demeurer et même y acquérir un logement.

C'est précisément pour cette raison que nous avons créé le prêt Paris-Logement à taux zéro, accordé par

* Adjoint au logement.

des banques signataires d'une convention avec la Ville de Paris. Son montant s'élève à 22 000 euros pour une personne seule et à 36 000 euros pour un ménage. Il se combine évidemment avec un prêt bancaire classique et un apport personnel ; ainsi, en diminuant la charge du remboursement, l'idée est d'encourager l'accession sociale à la propriété dans Paris. Cette disposition – qui permet mécaniquement à l'emprunteur d'obtenir de sa banque des conditions de crédit plus favorables – concerne des publics ciblés : les jeunes ménages, mais aussi les agents de la Ville, des fonctionnaires de police, des pompiers, des personnels de l'Assistance publique qui travaillent dans la capitale, mais sont contraints à des déplacements parfois très fatigants. Autre cible essentielle à nos yeux : le prêt est également accordé aux personnes qui décident d'acheter un logement adapté dans la perspective de son occupation par une personne handicapée.

Ainsi, le logement social est l'enjeu central d'une philosophie urbaine qui refuse toute logique de compartimentage, telle qu'elle a prévalu dans le passé. Cette volonté va de pair avec une démarche d'ouverture, assez inédite sur le plan historique.

Longtemps, en effet, Paris s'est isolé de ses voisins. Les fortifications, jadis, traçaient une frontière nette. Les murs détruits, le périphérique a rempli en fait la même fonction. Significativement, il n'existait jusqu'à récemment aucune cartographie, établie à la même échelle, de l'ensemble de l'agglomération. Et, pourtant, nous partageons avec les villes limitrophes les mêmes enjeux : transports, politique de la ville, dynamique économique, logements... Il fallait rompre avec l'indifférence, l'égoïsme, voire l'arrogance qui ont si longtemps prévalu vis-à-vis de collectivités locales avec lesquelles nous avons tant de choses en commun.

Depuis mars 2001, de nombreux protocoles de partenariat ont été signés, à l'initiative de Pierre Mansat*, avec les élus représentatifs de ces populations, quelles que soient leurs étiquettes politiques (Montreuil, Saint-Denis, Issy-les-Moulineaux et Boulogne ainsi que le département du Val-de-Marne...). Ils portent sur des projets précis, comme l'aménagement des bois de Boulogne et de Vincennes, celui des puces de Saint-Ouen, ou sur des partenariats thématiques. Le plus prometteur, à mes yeux, est la mise en valeur des terrains souvent chaotiques qui bordent le périphérique, et singulièrement à la hauteur des portes. Ces sas de béton et de macadam doivent devenir des lieux de passage, de rencontre, et permettre de recoudre le tissu urbain partout où c'est possible. Dans le XIXe, à la porte des Lilas, c'est un enchevêtrement de voies ferrées, de canaux et de boulevards périphériques qui fait exploser le territoire en micro-espaces délabrés. Le projet consiste à installer des activités et des équipements de loisirs près des logements existants et à établir des liaisons piétonnes qui relieront Paris et la banlieue. Des coulées d'arbres, des jardins permettront d'abolir la frontière. Des projets relevant du même esprit sont en cours d'élaboration, notamment porte de Vanves, discutés avec les collectivités locales concernées. Des portions du périphérique seront couvertes par des espaces verts qui enjamberont le flux

---

* Adjoint chargé des relations avec les collectivités territoriales d'Île-de-France.

des voitures. Parisiens et banlieusards seront de plain-pied pour franchir le boulevard.

Tous ces aménagements illustrent, à leur façon, une ville en mouvement. La remarque s'applique aussi au territoire emblématique de la ZAC Paris-Rive gauche. Avec ses cent trente hectares, c'est le dernier espace de cette dimension à pouvoir être aménagé. C'est une chance pour Paris.

Lancé en 1991, ce vaste chantier a, c'est le moins que l'on puisse dire, connu des soubresauts, faute d'une programmation adaptée à la réalité urbaine contemporaine. Là encore, le rôle joué par le monde associatif aura permis d'éviter de nombreux écueils. Sur la base de cet héritage, nous avons tenté, avec Jean-Pierre Caffet et le maire du XIIIe, Serge Blisko, de concevoir un projet renouvelé, autour de principes clairs : diversité, intégration au tissu parisien, ouverture à l'innovation, conciliation entre modernité et convivialité. La part de logements sociaux prévus a été considérablement augmentée, alors que déclinaient les surfaces réservées aux bureaux. Le projet favorise l'accueil de nombreuses activités : celles du tertiaire traditionnel, mais aussi les commerces, les services de proximité, les petites et moyennes entreprises et bien entendu les nouveaux secteurs d'activité. Ainsi, dix-huit mille mètres carrés sont consacrés à l'implantation d'une pépinière « Paris Bio Park », pôle biotechnologique dédié notamment à la pharmaceutique. Cette initiative devrait générer la création de sept cents emplois et établir un lien particulièrement étroit à la charnière entre activité économique et monde universitaire.

Le développement économique de Paris implique d'explorer de nouvelles voies et de mettre en synergie des acteurs distincts. Animé par Lionel Stoleru, le CODEV (Conseil de développement économique durable), créé en 2002, a pour vocation de formuler des propositions innovantes dans des domaines tels que l'emploi, les nouvelles technologies, le commerce et l'artisanat, l'immobilier d'entreprise, le tourisme* ou les métiers d'art. Composé d'une quarantaine de membres issus de l'entreprise, des organisations professionnelles ou syndicales et du monde associatif, il constitue un instrument précieux d'analyse et de diagnostic de la réalité parisienne.

Cette dimension nous paraît très importante. Elle a influé sur la réorientation de la ZAC Paris-Rive gauche qui met l'accent sur l'intelligence, sur les complémentarités entre université, nouvelles technologies et recherche. Mille logements réservés au monde étudiant, deux cent dix mille mètres carrés consacrés à l'enseignement supérieur – dossiers sur lesquels s'exerce la vigilance de David Assouline et de Danièle Pourtaud** : ce dispositif ne traduit pas seulement une certaine conception de l'avenir, il exprime aussi notre volonté de faire de ce lieu un espace d'innovation sociale, un Quartier latin du XXIe siècle. Outre leur incidence en termes d'emplois, qui peut contester que la présence d'étudiants, de scientifiques et le foisonnement d'activités dédiées au savoir signent l'identité d'un lieu ?

Formidable défi, en vérité, dont l'enjeu n'est pas

* Paris est la ville au monde qui accueille le plus de visiteurs, créant trois cent mille emplois directs et indirects. Jean-Bernard Bros, adjoint au tourisme, veille à maintenir un haut niveau d'attractivité à ce secteur.

** Adjoints chargés respectivement de la vie étudiante et des universités.

de créer un « échantillon de ville » déconnecté de ses abords, mais de l'y intégrer de façon harmonieuse, en assumant la part d'audace et de confiance en l'avenir que cela implique.

C'est sans doute ce qui a souvent fait défaut à nos politiques publiques dans le domaine de la recherche.

Cette crise a atteint son paroxysme avec le mouvement récent des chercheurs, excédés par le manque de moyens, de personnels mais aussi de considération. Dans un article remarquable paru dans *Le Monde* le 8 avril 2003, le biologiste François Jacob – prix Nobel de médecine en 1965 – souligne la lucidité et l'influence sur la recherche française de deux hommes politiques, et non des moindres : Charles de Gaulle et Pierre Mendès France. Au sujet de ce dernier, l'auteur écrit : « Pour lui, la réforme politique, celle de l'enseignement et celle de la recherche scientifique étaient étroitement liées. Car c'est l'exploitation des découvertes qui fournit le moteur de l'économie. Donc, pas de grand pays moderne sans une puissante recherche scientifique. »

L'appel de François Jacob à une « volonté politique nouvelle » ne peut laisser indifférent. La gauche n'est pas irréprochable en la matière, mais c'est elle qui, avec la loi d'orientation de juillet 1982, avait défini l'objectif de 3 % du PIB consacrés à l'effort de recherche : acceptée par l'Europe, reprise à son compte par le chef de l'État, cette part s'élève laborieusement à 2,2 % aujourd'hui. Les conséquences en sont connues : fuite des cerveaux, impossibilité pour de nombreux scientifiques de mener à bien leurs travaux, perspectives de carrières de moins en moins motivantes et désespérance galopante, notamment parmi les doctorants.

Parce qu'elle constitue un investissement peu visible, dont les effets ne sont en général perceptibles qu'à long terme, la recherche a trop souvent souffert d'une certaine indifférence. Elle fait partie de ces secteurs que l'on n'hésite pas à sacrifier en période de « jachère budgétaire ». Calcul médiocre et à courte vue en vérité. L'État doit au contraire renforcer cet atout essentiel, favoriser l'émergence de pôles d'excellence sur le territoire national en mobilisant les moyens indispensables. La puissance américaine dans ce domaine ne s'explique pas autrement : le pari sur l'intelligence est aussi synonyme d'une avance technologique sur laquelle repose cette domination. En France, l'enjeu n'est pas seulement financier, il est aussi structurel – j'allais dire « culturel » – puisque l'avenir implique à la fois un rajeunissement des cadres, une amélioration des infrastructures et surtout des passerelles quasi inédites entre le monde scientifique (que symbolise le CNRS) et la sphère universitaire. Modernisée, « assouplie », ouverte, la recherche française a vocation à redevenir cette force d'impulsion qui a nourri légitimement notre fierté nationale.

À l'échelle de Paris, dès 2001, un Conseil scientifique a été installé, présidé par le professeur Vincent Courtillot, membre de l'Académie des sciences. Composée de quinze femmes et de quinze hommes venus de la recherche publique mais aussi de l'entreprise, cette instance couvre un champ très vaste : sciences humaines, sciences de la nature, sciences de la vie, de l'univers et de la matière. Sa mission ? Assurer un lien permanent entre la communauté scientifique et la municipalité, mettant à sa disposition une vraie capacité d'expertise, d'évaluation et de proposition : quelles activités scientifiques faut-il développer à Paris ? Comment encourager leur installation ou leur développement ? Comment favoriser le débouché d'innovations technologiques porteuses ? Autant de problématiques étudiées par le Conseil scientifique afin d'aider l'équipe municipale, et en particulier Danièle Auffray*, à créer à Paris un environnement innovant. Comme en écho à cette interrogation de l'inimitable Raymond Queneau : « Comment ne pas avoir peur devant cette absence de raison dénuée de toute folie ? »...

---

* Adjointe chargée des nouvelles technologies et de la recherche.

10

Mondialiser la social-démocratie

Dans les années 1970, lorsque Pierre Mauroy évoquait l'évolution des rapports sociaux, il parlait immanquablement du travail des enfants dans la mine. Cette exploitation avait marqué sa région du Nord, s'imprimant dans les consciences, livrant des témoignages transmis au fil des générations. Jeunes militants nés dans une époque plus clémente, nous étions impressionnés par l'évocation de ces petites victimes d'un capitalisme dépassé – croyions-nous.

Cette honte que nous pensions reléguée aux oubliettes de l'Histoire, ou aux pages jaunies de *Germinal*, s'étend aujourd'hui sur toute la surface de la planète. Selon un rapport récent de l'Organisation internationale du travail, deux cent cinquante millions d'enfants sont contraints de travailler – soit 18,5 % de la population mineure mondiale ! Sur ce total, 10 % triment dans des conditions qui mettent leur santé et leur développement en danger.

Cette effrayante régression est une conséquence directe de la mondialisation de l'économie. Dépourvus de tout, sauf d'une main-d'œuvre prête à subir les conditions de travail les plus dures pour des salaires de misère, les pays pauvres sont aujourd'hui devenus les usines du monde riche. Encore moins chère et plus docile, la main-d'œuvre enfantine ne pouvait échapper à la logique infernale de la réduction des coûts de production.

Les mêmes études indiquent que huit à vingt millions d'enfants sont exploités par les trafiquants de drogue et les réseaux de proxénétisme. Sur les trottoirs des grandes villes, et Paris ne fait pas exception, on peut voir de très jeunes femmes venues de l'ancien bloc de l'Est, dont un grand nombre de mineures, se livrer à la prostitution sous la férule de bandes criminelles. Elles ne restent jamais très longtemps au même endroit. Au bout de deux ou trois mois, elles sont envoyées dans une autre ville, et remplacées par de nouvelles venues. L'ultralibéralisme dans l'exploitation sexuelle d'êtres humains est né.

On connaît aussi ces groupes d'adolescents, « importés » des mêmes pays, qui s'adaptent avec une rapidité étonnante à la réaction de la police, s'adonnant tour à tour à la mendicité, aux petits larcins, au pillage des horodateurs, au vol de portables à l'arraché, et bien entendu à la prostitution. C'est un nouveau visage de l'esclavage qui fait son apparition.

Dès qu'une frontière devient poreuse, qu'une barrière s'efface, ce sont, semble-t-il, les pires « productions » de l'humanité qui s'y engouffrent en premier. Donner une instruction aux enfants qui en sont privés coûterait 11 milliards de dollars, selon la Conférence internationale contre le travail des enfants, tenue en mai 2004 à Florence. C'est l'équivalent de trois jours de dépenses d'armements dans le monde, ou du cinquième des dépenses annuelles de tabac aux États-Unis. Malheureusement, c'est sous son aspect hideux que nous prenons connaissance de la mondialisation, au point que ce terme est devenu très négatif dans le subconscient collectif.

Et, pourtant, l'ouverture au monde est un des plus beaux rêves de l'humanité. La quête de nouveaux espaces est consubstantielle à l'histoire de l'expansion humaine. L'homme a toujours été attiré par le large, il a toujours cherché les meilleures voies de communication et les moyens de transport les plus rapides. C'est au XVe siècle, époque qui a vu l'essor des grands ports comme Venise, Amsterdam ou Londres, que les historiens font remonter les débuts de la mondialisation. Celle-ci est intimement liée au développement du capitalisme, qui se caractérise par l'élargissement constant de son territoire, afin d'accroître les possibilités d'échange. Dans les faits, cette recherche avait créé un espace économique à l'échelle mondiale. Il suffit de se souvenir de la route de la Soie, active depuis l'Antiquité, ou des grands réseaux commerciaux constitués par la Compagnie des Indes. Il faut donc abandonner l'idée reçue selon laquelle l'affaiblissement de l'État providence serait à l'origine de la mondialisation.

Mais la nouvelle mondialisation n'est plus celle qui a longtemps prévalu. Aujourd'hui, les capitaux privés circulent plus librement que les individus et les produits manufacturés, ils s'investissent et se désinvestissent à volonté. Ce ne sont plus des produits qui s'échangent, mais des flux financiers qui se placent directement à l'étranger, dans les business les plus profitables avec les rendements les plus rapides. Et ce vaste mouvement en cours livre des vérités finalement très paradoxales, où se côtoient l'ébauche d'une régulation des échanges et les paradis fiscaux, le commerce et la spéculation.

Grâce aux technologies de la communication, les forces économiques élargissent aujourd'hui leur champ d'action beaucoup plus aisément que les forces sociales, ou les idées. Jusqu'ici, partout où les intérêts économiques se sont développés dans un espace démocratique, le politique a permis de créer un équilibre plus ou moins satisfaisant entre les lois du marché et la justice sociale. Les syndicats, les conflits et les compromis ont joué leur rôle. Aujourd'hui, ce schéma régulateur a explosé. L'économie se déploie au niveau planétaire, alors qu'il n'existe pas d'organisation démocratique à la même échelle. À l'heure où les pays pauvres s'enfoncent dans le sous-développement, où les disparités économiques s'accroissent au sein même des pays riches, les citoyens touchés par les effets de la mondialisation ne sont pas représentés dans les instances économiques internationales. Là où les banquiers ont la possibilité de défendre leurs intérêts, les chômeurs qui ont perdu leur emploi à la suite des restructurations exigées par le FMI (Fonds monétaire international) ne peuvent faire entendre leurs voix.

Pourquoi ce déficit de démocratie ? À cette « gestion mondiale sans gouvernement mondial », Joseph Stiglitz*, prix Nobel d'économie en 2001, désigne une cause très dérangeante : il pointe les graves dysfonctionnements des institutions internationales, et en premier lieu du FMI. Stiglitz en a eu une expérience personnelle puisqu'il a exercé pendant trois ans la fonction de vice-directeur de la Banque

* *La Grande Désillusion*, Fayard, 2002.

mondiale, dont le siège se trouve en face de celui du FMI à Washington. Il critique tout d'abord la composition du FMI : contrairement à l'ONU, où cinq pays peuvent exercer leur droit de veto, ici, seuls les États-Unis disposent de ce pouvoir absolu.

Ensuite, le poids de chaque pays est proportionnel à sa contribution au fonds, selon le principe « un dollar, une voix ».

Le FMI est né à la suite de la conférence monétaire et financière des Nations unies tenue à Bretton Woods en 1944. Il s'agissait de financer la reconstruction de l'Europe et de protéger le monde contre le risque de récession. La grande crise de 1929 était encore dans tous les esprits. Le FMI est géré par les ministres des Finances des pays développés. « Comme partout, observe Stiglitz, ceux-ci sont liés à la communauté des affaires. » Au début des années 1980, tout ce beau monde prend un tournant radical vers ce que le Nobel appelle le « fanatisme de marché », dans la foulée du néolibéralisme de Thatcher et de Reagan. Le FMI et la Banque mondiale en deviennent les « missionnaires », en accord avec le Trésor américain. C'est ce que l'on appelle le « consensus de Washington », fondé sur l'équilibre des dépenses publiques – quitte à ce qu'il entraîne des politiques d'austérité –, la désétatisation et le libre-échange. Les recommandations du FMI sont d'autant plus cruciales qu'elles déterminent l'attribution non seulement de ses fonds propres, mais aussi de ceux de la Banque mondiale ainsi que des prêts européens.

Créé, donc, pour favoriser la stabilité économique – comme l'ONU l'avait été dans la sphère politique –, le FMI est finalement devenu le bras armé d'une idéologie politique et économique – le monétarisme – qui prône l'austérité budgétaire et le désengagement de l'État, quel qu'en soit le prix social, sanitaire, environnemental ou éducatif. Stiglitz accuse les fonctionnaires du FMI, ces « bolcheviques » du libéralisme, d'avoir, par obéissance aveugle à des dogmes obtus, précipité dans le chaos de nombreux pays du tiers-monde qu'ils étaient censés aider à sortir de la crise. L'Argentine, l'Indonésie et même la Russie en sont les exemples les plus récents, qui ont connu les émeutes, la faim et le développement anarchique du capitalisme mafieux.

Non seulement le coût social de ces politiques est exorbitant, mais elles sont, de plus, contre-productives en matière économique. Les seuls à en tirer profit, conclut avec audace Stiglitz, sont les banquiers de Wall Street, ainsi que les élites des pays émergents, qui s'enrichissent aux dépens de la justice sociale. Certains pays, comme la Chine et l'Inde, ont réussi à limiter les dégâts en imposant une libéralisation progressive de leur économie. Plus récemment, c'est le Brésil de Lula qui a tenu tête aux dirigeants du FMI – exemple rarissime – et qui continue à financer des programmes sociaux. Pour Stiglitz, pourtant, « le problème n'est pas la mondialisation. C'est la façon dont elle a été gérée ».

Il préconise donc des réformes telles que les ministres du Commerce ne soient plus les seuls à se faire entendre à l'OMC, et les ministres des Finances au FMI. Que les ministres de la Santé, du Travail ou de l'Éducation aient leur mot à dire, autant que les banquiers centraux, dans des programmes qui les concernent au premier chef, puisqu'ils portent sur le développement. Il propose de renoncer au système censitaire « un dollar, une voix », et de renforcer la représentation des pays en développement, afin que ces institutions cessent de fonctionner comme des clubs de riches qui s'entendent en catimini. Que la « religion » du FMI reconnaisse la nécessité d'une intervention importante de l'État dans l'économie des pays pauvres, notamment pour assurer la stabilité, les infrastructures et l'éducation nécessaires à la croissance. Sinon ? Sinon, ce constat lucide de l'auteur, qui identifie bien le poids de la menace : « La situation actuelle me rappelle celle d'il y a soixante-dix ans. Quand le monde a sombré dans la grande crise, les partisans du libre marché ont dit : ne vous inquiétez pas, les marchés s'autorégulent. Laissons leur le temps et la prospérité reviendra. Peu leur importaient les vies qui seraient détruites en attendant ce prétendu redressement... »

Nous avons aujourd'hui besoin d'une volonté économique commune au niveau de la planète, d'une instance de régulation inspirée au moins en partie par des principes démocratiques. Il faut créer d'autres organismes, sur le modèle de l'ONU. Il s'agit donc de trouver une forme de gouvernance globale non pas, comme le craignent les souverainistes, pour imposer le modèle anglo-saxon au monde entier, mais au contraire afin de s'opposer à l'entreprise outrancière des idéologues du FMI. Alors seulement des solutions alternatives à la vision ultralibérale pourront se faire entendre. Comme l'écrit l'économiste Charles-Albert Michalet : « Contrairement à des idées généralement acceptées, la globalisation ne conduit pas nécessairement à un espace mondial uniforme*. »

Aujourd'hui, ce sont principalement les fameuses

* Charles-Albert Michalet, *Qu'est-ce que la mondialisation ?*, La Découverte/Poche, Paris, 2004.

ONG (organisations non gouvernementales) qui remettent en cause les diktats du FMI. Les organisations syndicales sont peu visibles dans ce combat. Les institutions mondiales de représentation et de défense des salariés, même associées au BIT (Bureau international du travail) n'ont pas suffisamment de poids. Il est vrai que la « solidarité prolétarienne » trouve ici ses limites.

Si tout le monde est d'accord pour défendre le droit des enfants pakistanais à ne pas travailler, combien de syndicalistes occidentaux se battraient pour le droit des ouvriers chinois à trouver un emploi – sachant que les ouvriers textiles du Gard pourraient en être pénalisés ? Et comment s'en étonner si la justice sociale cherche son chemin en opposant entre eux les intérêts des plus faibles ?... Plus près de nous, au niveau européen, les syndicats se sont regroupés en une confédération organisée, que les dirigeants de l'Union consultent de plus en plus. Mais, même dans cet espace proche, les contradictions ne manquent pas. Ainsi, l'harmonisation sociale pose un défi particulièrement difficile : pour un pays comme la Pologne, qui a besoin d'attirer des investissements, s'aligner sur des standards sociaux disproportionnés paraît inconcevable en l'état. Mais cette évolution vers plus de cohérence des législations au sein de l'espace européen (en matière économique, sociale et fiscale) est nécessaire. Favoriser une telle convergence vers le haut constitue la démarche la plus efficace pour combattre le phénomène du dumping et les délocalisations qui y sont liées.

Oui, les rivalités au sein du monde du travail existent. Mais les syndicats doivent trouver la manière de s'emparer de cette grande cause : la défense de la justice sociale au niveau européen d'abord, planétaire ensuite. Comment pourraient-ils laisser exclusivement aux politiques ou aux ONG un champ qui relève totalement de leur raison d'être ?

Il serait donc absurde de condamner la mondialisation en bloc, tout dépend du rapport de forces qui s'y crée et des principes qui l'inspirent. Quel plus beau rêve pour la gauche que d'élargir ses combats au monde !

Faire progresser la démocratie, la liberté, la justice sociale, et pas seulement dans le cadre des frontières nationales, c'est, après tout, l'idéal que les mouvements progressistes se sont fixé dès l'origine. La fin du XXe siècle a connu d'importantes avancées, notamment sur le plan judiciaire, avec la mise en place du Tribunal pénal international, premier pas vers une justice internationale. Elle a vu aussi naître une société civile qui déborde les frontières nationales, avec la montée en puissance de nouveaux mouvements revendicatifs, comme le Forum social. Associée – à juste titre – à l'explosion des « filets de sécurité » mis en place par la social-démocratie, la mondialisation doit être précisément pensée comme le nouveau terrain d'expansion de l'idée sociale-démocrate. Nous devons, en somme, « mondialiser » la social-démocratie pour combattre le libéralisme sur le même terrain.

Sur ce plan, la bataille pour permettre aux pays pauvres d'avoir accès aux médicaments génériques a été exemplaire – par l'âpreté du combat, et par le caractère limité de la victoire. Rappelons que la majorité des malades vit dans des pays trop pauvres pour payer les traitements. Ainsi, sur les quarante millions de personnes touchées par le virus du sida dans les régions sous-développées, seules quatre cent mille personnes ont accès à des médicaments brevetés. Nelson Mandela a été parmi les premiers chefs d'État à réclamer le droit de fabriquer les molécules sans verser les royalties exorbitantes exigées par les laboratoires pharmaceutiques. Dans son sillage, la conférence de l'OMC tenue à Doha en 2001 a finalement reconnu le droit des pays pauvres à disposer de ce qu'on appelle les brevets obligatoires, c'est-à-dire gratuits. Mais l'application concrète de cette décision a traîné pendant deux ans. Finalement, c'est une version très restreinte qui a été adoptée en 2003 par la conférence de Genève sous la pression des lobbies pharmaceutiques. Les altermondialistes les plus extrémistes critiquent durement ces concessions. Mais, concrètement, comment nier la nécessité d'une solution, même partielle, pour que les populations d'Afrique puissent disposer de ces médicaments ? Une avancée a été arrachée grâce au combat. Doit-on la torpiller au motif qu'il reste beaucoup de chemin à parcourir ?

Il faut se saisir de cet acquis mais poursuivre bien sûr une bataille acharnée pour des instruments de survie. Dans la course contre le temps imposée par la maladie, la logique du tout ou rien n'est pas plus efficace que la résignation.

Les problèmes environnementaux sont globaux, eux aussi, et imposent une action collective. Selon les Nations unies, 1,1 milliard de personnes dans le monde n'ont pas accès à une eau potable, et 2,4 milliards vivent sans toilettes ni égouts. Les maladies liées à une eau non potable mettraient en danger de mort soixante-quinze millions de personnes d'ici à 2020, et particulièrement les enfants. La répartition des ressources est si inégale que les experts estiment à trente-six le nombre de pays qui seront en situation de pénurie en 2025. Les besoins en eau douce s'accroissent – la consommation mondiale a été multipliée par sept en un siècle – sous l'effet de l'augmentation de l'irrigation, de l'activité industrielle, de la consommation domestique et de la forte croissance démographique. Là où elle ne manque pas, l'eau subit une pollution chimique, biologique ou bactérienne de plus en plus grave, résultant toujours de l'activité humaine. Entraînés par les fleuves, nos déchets agricoles, industriels ou domestiques se déversent dans les mers. Les deux tiers de la pollution maritime viennent des terres, mettant en danger le seul réservoir de vie, de ressources, de matériaux et de molécules pour la médecine qui nous reste. Croyant s'enrichir, l'être humain déploie décidément un talent exceptionnel pour dévaster la planète et détruire ses propres chances de survie. Seules des politiques communes, et en particulier des nouvelles règles en termes de développement, peuvent nous permettre d'apporter une réponse au difficile problème de l'eau.

La préservation des richesses naturelles soulève des problèmes si graves qu'elle exige désormais une stratégie à l'échelle du monde et des actes en accord avec les discours. La France a bien parlé à Kyoto, mais pourquoi les députés français de droite, au Parlement européen, ont-ils voté contre l'instauration des seuils définis par cette conférence internationale pour l'émission des gaz à effet de serre ?

Sur le plan politique, l'organisation du monde est aussi déficiente. Le conflit de l'Irak a révélé la faiblesse de l'ONU, seul espace démocratique existant au niveau international, mais empêchée d'imposer à l'origine de la crise une solution opératoire à la situation créée par le dictateur irakien. Dans cette circonstance – et contrairement à la première guerre du Golfe –, l'administration Bush a contraint le monde entier à une mauvaise solution, dont les conséquences peuvent se révéler dévastatrices. La lutte contre le terrorisme affaiblie – l'évolution de la situation en Afghanistan le démontre –, le conflit du Proche-Orient enlisé, le monde arabe déstabilisé incitent plutôt à rechercher la voie d'une rationalité accrue dans l'organisation du monde.

Aujourd'hui, nous ne souffrons pas d'un excès d'ordre, mais plutôt d'un manque de puissance du seul instrument de régulation des tensions et des conflits : l'ONU. Cela ne veut pas dire qu'il faille travailler à l'avènement d'un monde aligné. Loin de s'accommoder de la domination d'une seule superpuissance, une ONU forte et capable d'interventions efficaces est au contraire plus adaptée à un monde multipolaire. Ce constat ne doit pas conduire à une vision caricaturale qui prétendrait exclure ou marginaliser les États-Unis : leur puissance est tout simplement une évidence, fondée sur leur avance économique, militaire et technologique. L'enjeu est plutôt de créer les conditions d'une pression internationale capable d'imposer la prédominance du droit : les règles et les institutions qui régissent la vie internationale depuis soixante ans ont fait émerger un édifice efficace – le Kosovo, notamment, l'a démontré – qui doit être modernisé et renforcé, mais surtout défendu. L'histoire nous a appris que la tentation nationaliste ne pouvait conduire qu'aux conflits.

Dans le contexte actuel, dominé par l'hégémonie

américaine, l'Europe a donc un rôle à jouer. Certes, ses problèmes internes la freinent : faible croissance, chômage persistant, poids des extrémismes, difficultés de l'élargissement. Le pilotage d'une Union aussi complexe est malaisé. Mais l'Europe présente l'immense avantage d'avoir opté pour la paix après s'être adonnée aux pires guerres fratricides, aux rivalités impériales et aux crises nationalistes. Ce continent de sang, de violence inouïe a longtemps connu l'affrontement à mort de peuples dont la civilisation est pourtant assez proche. Après tant de conflits de pouvoir – de Napoléon à Staline, via Hitler – et tant de boucheries, l'Europe a finalement choisi la paix. Depuis la fin de la Seconde Guerre mondiale, ce choix perdure : les valeurs de liberté et de démocratie sont affirmées contre les idéologies de la mort. Sur le plan économique, cet espace, qui appartient sans conteste au monde capitaliste, a su bâtir un système de protection sociale avancé. Philosophiquement, politiquement, économiquement et même monétairement – avec l'euro, unique challenger du dollar –, la civilisation européenne est une alternative au modèle unique américain. Elle peut proposer un contre-pouvoir à une mondialisation purement financière et d'essence 100 % anglo-saxonne, notamment si elle sait nouer des partenariats nouveaux avec les pays émergents.

Comme l'écrit Pascal Lamy* : « La construction européenne est, sur la planète, la forme la plus avancée d'invention d'un système de gouvernement démocratique alternational et non hégémonique. »

J'adhère à cette analyse et aux perspectives stimu-

* Pascal Lamy, *L'Europe en première ligne*, Le Seuil, Paris, 2003.

lantes qu'elle dessine. C'est pourquoi j'ai ressenti une certaine frustration face à la volonté manifeste du gouvernement d'esquiver la confrontation d'idées à l'occasion des dernières élections européennes. On est bien loin de cette dynamique digne et féconde qui, en 1992, avant le référendum sur Maastricht, avait vu le chef de l'État s'investir – bien qu'affaibli physiquement – dans un débat de haut niveau avec les Français. Là, au contraire, le pouvoir a semblé considérer ce rendez-vous électoral comme un mauvais moment à passer, le Premier ministre – fait unique dans les annales – limitant ses commentaires à la brillante victoire des footballeurs français aux dépens de leurs homologues britanniques...

À force d'ignorer l'importance de ce scrutin, d'en détourner le sens et de compliquer sans cesse les conditions de ce vote, comment s'étonner d'une désaffection de l'électorat ? Là encore, la démocratie se mérite. Et elle s'entretient.

Oui, dans ce monde multipolaire, l'Europe représente un pôle important au regard de l'Histoire, de la culture et de l'économie. Elle l'est encore plus grâce au poids démographique que lui procure son élargissement à l'est. Plus de citoyens, ce sont aussi plus de consommateurs, et l'on connaît la puissance que cet élément donne aux entreprises américaines appuyées sur un marché national de très grande taille.

Bien entendu, l'Europe à vingt-cinq est plus difficile à gérer que l'Europe à quinze. L'harmonisation sociale, économique, culturelle est une œuvre de longue haleine. Dans cette perspective, faudrait-il rejeter le projet de traité constitutionnel ? À titre personnel, je ne le pense pas. Certes, ce document est insuffisant dans des domaines tels que le social, l'Europe politique ou la fiscalité. Mais n'oublions pas que les institutions ne constituent qu'un cadre. La politique sociale de la France, par exemple, n'est pas inscrite dans le texte fondateur de la Ve République... Or ce projet représente une vraie avancée : la Charte des droits fondamentaux y est intégrée, affirmant de nouveaux objectifs, tels la justice sociale, la base juridique pour les services publics, le plein emploi ou la diversité culturelle et linguistique.

Les pouvoirs du Parlement sont étendus, de même que sont renforcés les dispositifs de coopération au sein de l'Union, notamment en matière de sécurité et de lutte contre le terrorisme. Des améliorations existent également en matière de santé publique, de non-discrimination et même de démocratie participative. Le temps du débat est donc venu, qui doit contribuer à clarifier le contenu et la portée de ce texte. Au sein de la famille socialiste, François Hollande a souhaité, à juste titre, initier une vaste réflexion démocratique en laissant les militants trancher le moment venu.

Bien sûr, le traité constitutionnel devra encore être enrichi. Telle sera la responsabilité de tous les progressistes des pays membres. Mais nier l'utilité de cette nouvelle étape pourrait être très dommageable : l'hostilité d'un acteur aussi essentiel que la France dans le cheminement de l'ambition européenne équivaudrait sans doute à une régression très grave. Chacun, à droite comme à gauche, doit en avoir conscience, même s'il ne s'agit pas de sous-estimer la complexité des enjeux.

Très symptomatiques, la question de la politique étrangère et celle de la défense communes sont intimement liées. L'Europe en a de toute évidence besoin, et il faut qu'elle les réalise, fût-ce en n'y impliquant pour commencer qu'une partie de ses membres. La création d'EADS par la France et l'Allemagne peut servir d'exemple : elle leur a fourni à tous deux une puissance et un marché extrêmement performants.

Le deuxième porte-avions que nous avons décidé de construire devrait s'inscrire dans cette perspective. Si la logique strictement militaire conduit naturellement à prévoir les périodes de révision du *Charles-de-Gaulle*, il est aberrant de se lancer seul dans la construction de son « partenaire ». À l'évidence, l'usage de ces instruments de sécurité aussi indispensables que coûteux est destiné à l'Europe. Je ne sous-estime pas les difficultés pour y parvenir, mais je crois cet objectif accessible. Si la France partage une politique étrangère commune avec certains de ses voisins, elle peut aussi partager son second porte-avions. C'est à cela qu'elle doit s'attacher, de façon volontariste, afin de favoriser tout ce qui concourt à l'harmonisation des politiques de défense. Il existe déjà une Agence européenne de l'industrie d'armement, qui joue un rôle important dans le cadre de cette convergence. Il ne faut pas s'arrêter en chemin, même si c'est à une construction européenne évolutive dans le nombre de partenaires et dans le temps que cela nous conduit, à ce que Jacques Delors appelle les « coopérations renforcées ».

À terme, nous devons faire le pari que les nouveaux membres s'intégreront. Inutile – et contre-productif – de les prendre de haut quand des divergences apparaissent. Au-delà de leur atlantisme, qui doit tout à leur longue soumission à la dictature soviétique, nous partageons en fait les mêmes problématiques, notamment environnementales – je pense à l'énergie –

et sociales – l'emploi. Ne vaut-il pas la peine de travailler à une conception européenne des services publics, par exemple en matière de transports ou de santé ? Dans la réforme récurrente de notre système de Sécurité sociale, nous pourrions déjà nous inspirer de certaines méthodes éprouvées par nos voisins nordiques. Par exemple, en Suède, si le médecin prescrit un traitement de huit jours, le pharmacien délivre exactement le nombre de cachets correspondant. Il suffit d'ailleurs d'ouvrir nos armoires à pharmacie – concept plus français qu'on ne l'imagine – pour constater l'économie que nous pourrions réaliser en « important » de si sages modalités.

Cette remarque concernant une conception européenne s'applique également à l'échelon local : les villes européennes s'organisent, elles aussi, et gagnent leurs galons d'interlocuteurs face aux institutions européennes. Le réseau Eurocités regroupe cent vingt collectivités locales de plus de cent cinquante mille habitants, d'Oslo à Barcelone, en passant par Vienne, Copenhague ou Nantes. À l'initiative de l'actuelle municipalité, Paris a décidé d'adhérer à cette instance. Représentée par Pierre Schapira*, elle y préside une commission consacrée à la « consommation responsable ».

Parmi ses initiatives, une des plus importantes est la mise en place de stratégies d'achat coordonnées fondées sur la durabilité et l'équité ; chaque ville peut ainsi influencer ses fournisseurs, qui intégreront à leur tour des comportements plus responsables. De même, Eurocités a mis en place un site Web qui diffuse des informations sur la consommation responsable et sur

* Adjoint aux relations internationales et à la francophonie.

les « bonnes pratiques » dans les villes. S'y ajoute la liste – mise à jour – des fournisseurs qui répondent à de tels critères.

Avant d'être élu maire, j'ignorais à quel point, sous toutes les latitudes, les villes sont confrontées à des problématiques similaires. Actuellement 60 % des habitants de la planète vivent en ville, ils seront 80 % à l'horizon 2030. Des conséquences écologiques, économiques, sociales, culturelles, etc., découlent inévitablement de ce fait.

Quand des maires se réunissent, ils parlent d'exclusion, d'environnement, de santé, de propreté, d'habitat, de transport, de démocratie locale ou de mixité sociale. Un jour où j'évoquais les questions de cohabitation dans la ville entre communautés de cultures très différentes, le maire de Yaoundé m'a répondu, dans un éclat de rire : « Moi, j'ai plus de cent ethnies dans ma ville et parfois des conflits sérieux entre elles ! Je passe ma vie à faire du lien. » Quand je suis allé au Québec, j'ai été impressionné par leur manière de gérer l'intégration des séniors dans la cité. Inversement, le maire de Washington, confronté à de gros problèmes dans la distribution de l'eau, s'est intéressé à ce que nous pratiquons à Paris, la délégation du service public à une entreprise privée.

Cette proximité crée entre nous des relations simples et pragmatiques, et même une forme de camaraderie. Les villes vivent dans un monde de compétition, mais, pour le moment, les maires n'ont pas entre eux de rivalités féroces. Avec ceux de New York, Londres, Madrid et Moscou, nos concurrentes pour les Jeux de 2012, les relations sont sereines et plutôt amicales.

Il existe différents réseaux de villes. Paris n'appartenait qu'à l'un d'entre eux : l'AIMF, Association internationale des maires francophones, créée par Jacques Chirac en 1979. C'est un excellent instrument de lien culturel, doté d'une vraie capacité à produire de la coopération Nord-Sud. Mais l'AIMF avait besoin d'être modernisée. Elle s'occupait principalement d'aide à la constitution de l'état civil ou à la formation des personnels municipaux. Nous avons étendu ses compétences à des projets sanitaires – en particulier la lutte contre le sida en Afrique –, à des activités pour la jeunesse ainsi qu'à des transferts de savoir-faire. Construction d'une bibliothèque à Djibouti, d'un marché à bétail à N'Djamena, d'un centre de santé à Antananarivo, assainissement du canal royal à Hué ou informatisation de l'état civil à Rabat illustrent la diversité de son action.

Parmi ces nombreux projets, il en est un, inédit, qui a impressionné le bureau de l'association chargée de les sélectionner : restaurer simultanément, dans une ville membre de l'AIMF, les cimetières musulman, juif et chrétien. Cette ville est Bizerte, et je soutiens évidemment son maire, auteur d'une idée si originale – et civilisée.

L'animation de l'AIMF m'a tout de suite passionné, mais je ne comprenais pas pourquoi nous ne faisions pas partie de l'un des trois grands réseaux internationaux de villes, l'IULA (Union internationale des autorités locales), créée en 1913, de connotation plutôt anglo-saxonne, dont Valéry Giscard d'Estaing présida la branche française ; la FMCU (Fédération mondiale des cités unies), comprenant beaucoup de villes latines, d'Européens du Sud, et dont les animateurs français furent Pierre Mauroy et Bernard Stasi ; et

Métropolis, qui regroupait plutôt des gouvernements locaux, dont la région Île-de-France.

Depuis une dizaine d'années, ces trois organisations avaient entrepris un processus de fusion, afin, précisément, de parler d'une seule voix au sein d'un monde globalisé. En effet, l'ONU reconnaissait des ONG, mais pas les villes. Nous avons décidé, avec Pierre Schapira, de mettre fin à l'attitude distante prise par Paris, et d'adhérer en même temps aux deux associations de villes, IULA et FMCU. Cette double adhésion a sans doute contribué à la crédibilité de Paris au sein de ces organisations.

Les trois associations se sont rapidement mises d'accord sur la ville qui recevrait le siège de la nouvelle organisation : Barcelone. Paris s'est proposé pour accueillir le congrès fondateur – qui a eu lieu en mai 2004. Ce nouvel organisme, le plus important au monde, fort de deux mille membres (collectivités et réseaux de collectivités) issus de plus de cent pays, regroupe d'ores et déjà les représentants de la moitié de la population mondiale. CGLU (Cités et gouvernements locaux unis), c'est son nom, sera le principal interlocuteur des Nations unies pour ce qui concerne les collectivités locales.

C'est une sorte d'ONU des villes – ou la plus grande ONG au monde – qui a fait son apparition, dotée d'un conseil mondial de trois cent dix-huit membres, et d'une présidence collégiale, élue pour trois ans (Johannesburg, São Paulo et Paris). Pendant les quatre jours du congrès, tous ces maires ont échangé leurs expériences sur le thème « Le futur du développement », et discuté de lutte contre le sida, d'éducation, de féminisme, de droits de l'homme ou de transports. C'est une « mondialisation par le bas » qui se met en place, portée par des acteurs qui gèrent la vie au quotidien. Un « machin » de plus ? Le caractère très concret de notre action devrait nous en préserver.

Les espoirs suscités sont considérables et sans doute démesurés. CGLU mène d'ores et déjà une réflexion sur un projet modeste, mais concret, engagé avec les professionnels de l'eau. Nous, les villes riches, qui sommes vos excellents clients, leur déclarons-nous en substance, nous souhaitons qu'en contrepartie des affaires que vous faites avec nous vous aidiez les villes pauvres à fournir de l'eau potable à leur population. Le projet – piloté pour la municipalité par Myriam Constantin* – reposerait sur le prélèvement d'un centime d'euro additionnel par mètre cube d'eau pour contribuer – via un fonds – au financement de cette aide en Afrique. Bien entendu, afin que les consommateurs ne soient pas les seuls à assumer cette solidarité, les distributeurs eux-mêmes accepteraient, dans une limite raisonnable, de réduire leur marge. Nous poursuivons cette réflexion sans attendre un improbable impôt mondial ni espérer que les pays riches tiennent leur promesse de consacrer 0,70 % de leur PIB à l'aide au développement.

Il ne s'agit là que d'un exemple parmi d'autres de ce que peut initier CGLU. Autre illustration : j'ai proposé la constitution d'une banque de données. Les solutions trouvées par chacun pour résoudre les problèmes de gestion municipale seront accessibles à tous. Nous pourrions aussi mettre en commun les moyens que nous consacrons chacun de notre côté à

* Adjointe chargée de l'eau et de l'assainissement.

la coopération Nord-Sud, afin de disposer d'instruments plus puissants. L'inédite « diplomatie des villes » en a certainement besoin.

La politique internationale de la Ville de Paris ne doit produire aucune interférence négative avec celle de la France. Notre mandat nous a été confié par les seuls citoyens de la capitale et je dois parfois le rappeler aux conseillers de Paris. Cela ne nous empêche nullement de parler et d'agir au nom des valeurs de notre cité et avec nos convictions.

Faire d'Ingrid Betancourt une citoyenne d'honneur, se battre pour sa libération ou dénoncer publiquement la décision de lapidation prise par un tribunal nigérian à l'encontre d'une femme adultère me paraissent des décisions relevant de nos compétences. Honorer la mémoire de Salvador Allende ou du fondateur aussi déterminé que pacifique du sionisme, Theodor Herzl, celles de Mohammed V ou de Bourguiba, en leur attribuant des noms de rues, de places, c'est assumer la dimension internationale de Paris. Nous sommes au service des valeurs démocratiques et de la coopération Nord-Sud.

Notre environnement méditerranéen inspire une part non négligeable de cette action. Les initiatives de la Ville sont nombreuses et s'appliquent à des domaines divers : réhabilitation de l'habitat dégradé à Alger, informatisation de l'état civil et formation des cadres administratifs à Casablanca, réhabilitation du théâtre municipal de Tunis ou réaménagement de la voirie dans le centre historique du Caire. Autant d'exemples (la liste exhaustive serait longue, invitant à un périple qui passerait notamment par Istanbul ou Amman) qui illustrent de façon très concrète l'investissement de

Paris dans cette coopération internationale entre les villes.

S'y ajoute notre préoccupation pour la paix au Proche-Orient. En mai 2004, Françoise Seligmann a créé un prix destiné à récompenser une œuvre au service des droits de l'homme, des combats contre le racisme. Les premiers lauréats sont Yossi Beilin et Yasser Rabbo, auteurs des célèbres accords de Genève. Elle a tenu à ce que ce prix leur soit remis à l'Hôtel de Ville. Moment émouvant, fédérateur et porteur d'espérance. Lors de mon dernier voyage au Proche-Orient, en novembre 2003, je les avais longuement rencontrés. Tous deux anciens ministres, parmi les principaux architectes du processus d'Oslo, ils ont décidé de mener le combat pour la paix, et d'abord en tentant de convaincre leurs concitoyens israéliens et palestiniens.

Le poids qui pèse sur tous les leaders de cette région, à quelque bord qu'ils appartiennent, est en effet terrifiant, car ils arrivent après l'échec de la tentative de paix la plus aboutie, marquée, en 1995, par l'assassinat de Yitzhak Rabin. J'ai voulu participer à l'hommage que les Israéliens rendaient, comme chaque année, à leur ancien Premier ministre, victime d'un fanatique. Ce haut responsable militaire a été aussi un très grand homme d'État, car il a pu s'extraire de sa propre logique pour se mettre à la place de ses ennemis d'hier et s'imprégner de leurs attentes. En prenant en compte ce qui lui a paru légitime dans leur demande, il a mieux servi son peuple qu'en s'enfermant dans l'intransigeance.

Comme Rabin, Beilin et Rabbo sont aujourd'hui des références. Ils montrent qu'en dépit des fractures, des deuils et du sang, il subsiste des êtres éclairés et courageux qui continuent inlassablement de rechercher la voie du compromis, de la paix, de l'honneur. Le plan qu'ils ont élaboré avec minutie n'élude aucune difficulté : ni la question de Jérusalem ni celle du droit au retour des réfugiés. Les solutions proposées sont des compromis obtenus en renonçant, chacun, à une part de son rêve : Beilin concède le mont du Temple, Rabbo révise son souhait de ramener tous les réfugiés dans l'État d'Israël.

En traçant méticuleusement la frontière entre les deux États, ce plan règle également le problème épineux des territoires occupés par les colonies juives : certaines seront démantelées, d'autres échangées contre une portion équivalente. Il vide de son sens le mur qui a été érigé entre les deux peuples. Conçu à l'origine pour protéger les civils israéliens contre les attentats, ce mur apparaît comme un monument de la haine. Car il démantèle l'espace, casse les villages en deux, empêche certains enfants d'aller à l'école – restée de l'autre côté du mur.

J'ai été très frappé lors de ce séjour au Proche-Orient de l'évolution de ces colonies qui grignotent le territoire palestinien. Image dérangeante : des pavillons de style européen, sagement alignés, entourés de barbelés, de lumières jaunes et de miradors ! À côté des villages palestiniens, pauvres, boueux, morcelés, ces implantations israéliennes me paraissent aussi cruelles pour ceux qui y vivent que pour ceux qu'ils privent de leur terre.

J'aime Israël et la Palestine. Je suis pro-israélien et pro-palestinien. Dans ma jeunesse, quand je ne connaissais pas cette région du monde, j'ai été influencé par François Mitterrand, dont je percevais la fascination pour la culture du Livre. Malgré – ou grâce à – cette sensibilité particulière à l'identité juive, il a su, devant la Knesset, affirmer la nécessité de créer un État palestinien. Et quand Arafat s'est retrouvé piégé à Beyrouth, c'est Mitterrand qui l'en a libéré. Je ne sais pas si un dirigeant conservateur en France aurait pris un tel risque. L'intéressé, en tout cas, ne l'a pas oublié.

L'expérience de la vie dans le monde arabe qui m'imprègne me pousse à mêler mon amitié pour le peuple juif à celle éprouvée pour les Palestiniens. En 2003, j'ai rencontré le maire orthodoxe de Jérusalem. Nous avons engagé de nombreuses perspectives de coopération dans des domaines très divers (santé, transports, urbanisme), comme je l'ai fait avec chacun de mes interlocuteurs, notamment palestiniens, au cours de ce périple proche-oriental. Une fois de plus, la culture s'est révélée un vecteur particulièrement fécond. Je lui ai en effet proposé, comme quelques heures plus tard au président des maires palestiniens – ce dont je l'informai – d'accueillir à Paris pour un an un artiste bénéficiant d'une bourse. Nos deux hôtes, l'Israélien et le Palestinien, seront bientôt chez nous. S'ils l'acceptent, je les inviterai ensemble, en espérant que le courant passera bien entre eux. Car, depuis l'origine, j'ai en tête d'organiser un événement, une création qui les associerait, comme un hymne à la beauté et à l'espoir. À la vie.

11

Passionnément, la vie

Tout en haut de Montmartre, loin de l'agitation de la place du Tertre, la rue Poulbot, avec ses pavés, ses arbres et ses recoins, se donne des allures de village rebelle, encore imprégné des valeurs de la Commune. C'est là, dans les mois qui suivirent la victoire historique de mai 1981, que j'avais convié à dîner, au restaurant Au Clair de lune, les Jospin, les Schapira et les Davezac.

Encore un peu euphoriques dans cette période d'« état de grâce », nous n'avions aucune difficulté à conjuguer amitié et convictions partagées. La conversation s'est orientée au milieu de la soirée sur la violence des attaques de la droite, sur ses outrances. Cette période était très particulière car l'absence d'alternance pendant vingt-trois ans avait sérieusement émoussé l'esprit démocratique : avant l'élection de François Mitterrand à la présidence de la République, une sorte de norme s'était installée en France, « la droite gouverne, la gauche s'oppose ».

L'inversion des rôles suscitait de vrais procès en légitimité et la haine commençait à suinter dans les propos de certains de nos adversaires. Nous évoquions, exemples à l'appui, les dégâts que ce climat commençait à provoquer dans des relations personnelles jusque-là cordiales ou amicales. Ce constat conduisait la plupart des convives à affirmer que l'amitié ne peut décidément s'accommoder d'options politiques opposées. L'échange devint plus vif. Bien qu'étant, comme les autres, exposé au sectarisme, je ne pouvais, pour ma part, me résoudre à me priver de l'affection portée à des personnes clairement de droite. Sans doute avais-je à l'esprit les opinions de mes parents. Mais, après tout, on ne choisit pas ses parents. Et le militant le plus intransigeant doit pouvoir trouver un compromis entre l'amour inné pour ceux qui lui ont donné la vie et la fréquentation exclusive de ceux qui pensent comme lui.

Non, je pensais tout simplement à mes amis aux opinions assez indéfinies ou franchement différentes des miennes, en particulier à Jean-Claude Leclerc Dorléac. Je l'avais connu à Biarritz dans ma jeunesse et je partageais avec lui un sentiment fraternel, nourri par son intelligence, son appétit culturel, son ouverture d'esprit et... nos controverses politiques. Il était devenu bâtonnier de l'ordre des avocats de Bayonne et premier adjoint RPR au maire de cette ville.

C'est de lui que j'ai reçu les mots les plus touchants, les plus encourageants, lors de la campagne législative de 1981 puis de mon élection à la fonction de député. Nul, mieux que lui, n'a su me dire la noblesse et le désintéressement de la mission à laquelle j'accédais. Plus tard, il fut un défenseur acharné des réformes initiées par Robert Badinter. Mais il demeurait RPR. Et lorsque, conseiller régional, il accéda à la présidence d'une commission de la Région Aquitaine, j'appréciais d'entendre mes amis socialistes vanter sa compétence et son extrême honnêteté, notamment vis-à-vis de l'opposition. Si la maladie ne l'avait emporté en 1992, il aurait sans doute goûté l'art de concilier les contradictions lors des municipales de 2001, lui, l'admirateur de Philippe Séguin et le frère dont l'affection ne m'avait jamais manqué.

Les bulletins de vote de Sabine, son épouse, de Vivian et Anne-Françoise, ses enfants, m'importent peu. Tous trois sont indispensables dans cette famille nombreuse dont la vie m'a gratifié depuis cinquante-quatre ans. À cet âge, je m'inquiéterais presque du « nombre », ne sachant distendre aucun de ces liens enrichis par le temps. D'autant qu'il est hors de question de passer à côté des amitiés à naître.

Il y a d'abord ceux de Bizerte, de toutes les époques et de toutes les générations : Mme Chirinsky, ses filles et maintenant ses petits-enfants. Les religieuses de l'institution Sainte-Marie. Leïla, la camarade de classe, et Faouzi, son mari. Et puis celles et ceux des vingt dernières années. Liste dont l'exhaustivité ne comblerait que moi. Ils ont des opinions différentes sur la place de la religion ou sur les droits de l'homme en Tunisie. Mais je n'imagine pas la vie dans mon pays natal sans eux.

Il y a aussi ceux de Rodez, ville qui n'est qu'en apparence le reflet inversé de Bizerte. Les collines remplacent les dunes, les clochers les minarets, mais le ciel y est également lumineux – comme les êtres que j'y ai rencontrés. Je me demande ce qu'aurait été la dérive d'un gamin de quatorze ans, paumé dans un univers pour lui incompréhensible, sans la découverte d'une bande d'allumés. Cela commence pourtant bien sagement chez les scouts, où, sous l'autorité bienveillante de l'abbé Ginisty, quelques adolescents apprennent à rigoler ensemble, de visites nocturnes à la cathédrale de Rodez en descentes de la Dordogne en radeau. Puis nous décidons que nous avons besoin d'un local à nous, pour nous y retrouver les jeudis, les samedis et les dimanches après-midi. Curieux local où nous installons un bar, un électrophone, des coussins et des lumières tamisées. Lors de l'inauguration de la « cave », l'abbé Ginisty, en présence de nos copines, comprend que, si nous restons ses amis pour ce qui est du scoutisme... nous lui échappons.

La suite serait longue à décrire. Elle fut drôle, sympathique et, somme toute, bien innocente, même si, dans le Rodez compassé des années 1960, elle provoqua rumeurs, bavardages et même une controverse journalistique à propos de ce lieu de perdition où nous n'avons pourtant guère dépassé le stade du flirt, parfois juste un peu poussé.

Nous étions de plus en plus nombreux. Nos parents s'inquiétaient : « Séparément, ils sont bien, mais dès qu'ils sont ensemble... » Ensemble, nous le sommes toujours, accrochés à nos années adolescentes. Quarante ans n'ont pas manqué de tracer des chemins différents : tous les métiers – du chef d'entreprise au patron de bistrot en passant par des employés de banque, des médecins ou des commerçants –, toutes les opinions et même quelques orientations personnelles découvertes tardivement (je pense notamment au « plus beau du quartier » comme dans la chanson de Carla Bruni, qui fit craquer toutes les filles de la ville et qui file aujourd'hui le parfait amour avec son compagnon, dans les environs de Montpellier).

Nous ne pouvons pas nous quitter, même si

quelques disputes passagères entretiennent l'ambiance. Après les mariages, nous nous retrouvons parfois pour les remariages. Rien n'est simple. Mais que nul ne m'impose d'en renier un seul ! Quel que soit son vote ou son discours « réac » sur les trente-cinq heures (cher Serge...).

D'ailleurs, bien qu'ils conçoivent sans doute un brin de fierté à voir l'un des leurs à la mairie de Paris, ils ne me le font jamais sentir. Lorsque nous nous retrouvons, le privilège maximal qui m'est accordé se limite à la concession d'un peu de temps pour travailler. Pour le reste, rien, pas la moindre préséance.

Avec celles et ceux croisés à l'âge adulte, la relation est à peine plus sage. Dans le melting-pot parisien, les origines diverses, les âges, les parcours offrent un champ infini, propice à l'épanouissement d'un éclectisme assumé. Qu'y a-t-il de commun entre Claude, la militante associative passionnée, qui attire en permanence mon regard sur les exclus, jusqu'à me faire rencontrer les prostituées qu'elle tente de sortir de leur esclavage, et Élie, le comédien virtuose qui s'essaie – avec succès – à la chanson romantique ?

Pourquoi étions-nous si heureux dans les tablées composites du dimanche soir chez Dalida ? Drôle d'équipe autour de cette femme intelligente, affectueuse, simple et star toujours adorée de son public dix-sept ans après son départ. Et si les propos de Pascal Sevran, l'un des convives de l'époque, me heurtent parfois aujourd'hui par leur conservatisme – même si je le soupçonne d'en « rajouter » –, il fait définitivement partie de mon univers affectif.

Ma vraie richesse, ce sont les moments de bonheur avec mes amis.

Avec mes filleuls Pierre-Bertrand, Nicolas et Chloé.

Avec celles et ceux que j'ai choisis dans la famille de mes parents. Ah, faire découvrir à Géraldine mes émotions après un voyage à l'île aux Marins, face à Saint-Pierre-et-Miquelon où vécurent nos arrière-grands-parents et où naquit mon grand-père ! Curieuse lignée qui, de Saint-Malo à Tunis, se mélange aux natifs de Londres, de Gênes, de Paris, de Toscane ou de Dordogne. Encore un cadeau, ces ancêtres migrateurs, tombant amoureux d'une différence. Souvent imprégnés de la passion de la mer, naufrages compris. Jusqu'à cet îlot sauvage où la force du vent couvre à peine la musique des vagues. À la fin du XIXe siècle, la vie y était rude pour ses six cents habitants, pêcheurs, commerçants, instituteur et prêtre. Aujourd'hui, quelques-uns de leurs descendants, autour de la doyenne Augusta, restaurent demeures, église, école, mairie, tous édifices en bois, et un cimetière marin émouvant avec vue imprenable sur Terre-Neuve. De la belle maison blanche de nos arrière-grands-parents ne restent que quelques fondations. Mais le terrain Delanoë est toujours là et il a fait naître dans mon esprit quelques rêves de bout du monde.

Pourtant, Saint-Pierre-et-Miquelon n'est pas exactement sur le chemin entre Paris et Bizerte.

Ni la politique ni l'exercice d'une parcelle de pouvoir ne déterminent les relations avec toutes ces personnes. Juste la délicatesse de ne jamais me culpabiliser pour mon manque de disponibilité. Et cette remarque d'un de mes neveux, Guillaume : « Ce qui me convient bien, c'est que tu n'es pas différent lorsque je te vois à la télévision ou à la maison. »

Les amitiés naissent aussi dans la vie politique. Par exemple, aujourd'hui, avec le premier des socialistes parisiens, Patrick Bloche. J'ai déjà évoqué ce que représente comme force et fidélité l'équipe du XVIIIe arrondissement, qui s'est élargie, notamment à nos deux jeunes députés Annick Lepetit et Christophe Caresche. Amitiés qui résistent parfois aux compétitions et aux divergences. Avec Jean Glavany, c'est précisément au moment où je m'éloignais de la politique, en 1986, que notre relation a pris ce tour affectueux. Généreux, bons vivants et sensibles, Jean, Armelle et leurs enfants m'ont accueilli en quelque sorte dans leur famille.

Plus tard, nous n'avons pas toujours fait les mêmes choix au sein du PS, et, comme d'habitude, les querelles de courant ont pris une tournure très désagréable. À cette époque, je demandais juste à Jean que nous en parlions le moins possible, pour préserver le meilleur. Ce fut une période un peu difficile sur le plan humain entre Lionel et Jean, dont je connaissais les liens amicaux. Leur éloignement affectif me peinait et m'agaçait.

Ce qui me rendit quelques années plus tard gentiment ironique à leur égard, quand ils retrouvèrent totalement leur complicité, leurs matchs de rugby et leurs balades en bateau. Non, décidément, je n'accepterai jamais que la politique et ses enjeux soient plus puissants que le miel de la vie.

Je ne cesse de m'émerveiller de ce que je reçois et je ne suis jamais totalement satisfait de ce que je donne. Sans doute la pensée des absents que j'aurais voulu rendre plus heureux. Parce que j'ai été trop surpris par la première séparation. Ne rien gâcher du temps présent et aimer au-delà d'un départ. Incroyant, j'ai décidé de croire que nous vivions aussi longtemps que sur cette terre quelqu'un nous aime.

C'est ce qui m'a inspiré lorsque j'ai voulu ces

instants de recueillement à Thiais, le mercredi 3 septembre 2003. Je me souviens de l'éclat du soleil, embrasant cet immense cimetière du Val-de-Marne. Debout, à côté du chef de l'État, j'assiste à la cérémonie organisée par la Ville de Paris en hommage à cinquante-sept personnes, victimes de la canicule, dont aucun proche ne s'était manifesté. Dans la cinquante-huitième division sont alignés des caveaux blancs, tous identiques, qui, au fil de l'année, accueillent les cercueils des « indigents ». Des élus mais aussi de nombreux habitants sont venus leur dire adieu. Dignité, tristesse, incrédulité, culpabilité peut-être, face à cette solitude jusque dans la mort.

En ce lieu, en cet instant, il n'y a plus de hiérarchie, de statut ni de fonction, juste un petit groupe d'êtres humains, ensemble mais confrontés, chacun, à ses réflexions intimes.

Alors, prolongeant l'émotion, résonnent les paroles d'une chanson de Barbara, *Quand ceux qui s'en vont* :

> *... Quand ceux que nous avons aimés*
> *Vont fermer leurs paupières,*
> *Si rien ne leur est épargné,*
> *Oh, que du moins soit exaucée*
> *Leur dernière prière,*
> *Qu'ils dorment, s'endorment,*
> *Tranquilles, tranquilles...*

Plus que jamais, j'ai la certitude que ma vraie ambition ne peut être *d'abord* politique. Mettre mes convictions à l'épreuve des faits, représenter les citoyens et agir en leur nom ne m'intéressent que si c'est une autre manière d'aimer. Disant cela, je n'évacue nullement la part d'orgueil ou d'égoïsme qui existe dans tout parcours. Et le mien n'y déroge pas.

Tant que l'exercice d'un pouvoir n'est pas en contradiction avec cette philosophie, pourquoi pas ? À condition de remettre chaque chose et chacun à sa place. Et d'abord soi-même.

Seules les fractures de l'Histoire révèlent des héros. Pour les temps plus apaisés, les nombreux artisans de la liberté et de la justice suffisent à susciter mon admiration et mon enthousiasme. Mon engagement aussi. Mais il cesserait aussitôt dès lors qu'il pourrait signifier trahison ou lâcheté à l'égard des idées ou des personnes que j'aime.

Tenter d'être fidèle à l'essentiel, comme une contribution à sa propre liberté. Parce que tout peut toujours commencer, dans tous les domaines, aujourd'hui même. Aussi longtemps que subsiste la passion de vivre.

Table

1. Rêves de villes 13
2. Des barbelés sur la plage 21
3. Madrid 45
4. Des murs à abattre 65
5. Pas à pas 93
6. Démocratie ascendant vérité 121
7. Spiritualité(s) 151
8. Œuvres d'art 173
9. Alchimie urbaine 191
10. Mondialiser la social-démocratie 229
11. Passionnément, la vie 255

Si vous voulez réagir à la lecture de ce livre
et poser vos questions à Bertrand Delanoë,
rendez-vous sur son forum :

www.laffont.fr

Cet ouvrage a été imprimé par

FIRMIN DIDOT

GROUPE CPI

Mesnil-sur-l'Estrée

pour le compte des Éditions Robert Laffont
24, avenue Marceau, 75008 Paris
en août 2004

Cet ouvrage a été composé et mis en pages
par ÉTIANNE COMPOSITION
à Montrouge.

N° d'édition : 44347/01 - N° d'impression : 69615
Dépôt légal : septembre 2004

Imprimé en France.